Annie Le Brun

Les châteaux
de la subversion

J.-J. Pauvert
aux Éditions Garnier Frères

1003926939

Annie Le Brun est l'auteur de plusieurs livres de poèmes, de *Lâchez tout,* un essai important contre l'embrigadement idéologique du néo-féminisme, et de *A distance,* un recueil d'essais, aux éditions Jean-Jacques Pauvert.

« *Quel genre de merveilleux choisir chez une Nation qui ne croit plus à rien ?* »

Robert-Martin Lesuire (1781)

« *...l'existence et le monde ne sont justifiables qu'en tant que phénomènes esthétiques.* »

Nietzsche

Faut-il donc que les formes, les lieux, les êtres qui nous retiennent le plus, soient ceux qui livrent le moins leur secret et masquent le mieux le cours de notre vie? Comme si chaque séduction se déployait en écran où reviendraient toujours se jouer, en se jouant de nous, nos rares raisons d'exister. Sans doute n'aimons-nous que des énigmes. Mais derrière la dérobade des goûts et des couleurs, la pensée poursuit en silence son avancée sauvage. Et l'aveuglement sensible s'avère en fin de compte le plus sûr moyen de voir et de faire voir.

Voilà peut-être plus de dix ans que dure mon attirance pour le roman noir. N'étant ni la seule ni la première à avoir été sensible au charme de ces livres désuets, je crus pouvoir assez aisément déceler ce qui m'y fascinait. Année après année, je dus me rendre à l'évidence : le roman noir résistait à mes analyses comme à celles de ses spécialistes et même de ses passionnés. Aussi divergentes que fussent les unes et les autres, toutes se révélaient également décevantes.

Il me fallut ce long temps pour entrevoir que le roman noir posait les questions que notre époque ne voulait pas ou ne savait pas poser.

Peu à peu, je compris mon obscure fascination pour ces livres qui, apparemment, racontent tous la même histoire, dans le même décor, avec la même grandiloquence. Je compris en même temps que les esprits les plus divers – qu'il s'agisse de Sade, Chateaubriand mais aussi de Schiller, Balzac, Hugo, Breton, parmi beaucoup d'autres, soient tour à tour venus se mesurer à cette aberrante muraille d'ombre barrant le paysage des Lumières.

Là quelque chose se cherchait, quelque chose de beaucoup plus ténébreux que toutes les horreurs qui y étaient rapportées. C'étaient bien des livres noirs, mais noirs comme l'humour de tout langage consumé d'avance, noirs comme les ruses du désir, noirs comme les pièges de la liberté. Et de cette obscurité déferlante avait surgi l'espace le plus paradoxal qu'on pût imaginer : telle une concrétion maudite de la nature et de l'artifice, menaçante et menacée, inexpugnable et lézardée, close et béante, la plus irréelle architecture gothique s'était peu à peu imposée comme la moins mensongère demeure de ceux qui avaient rêvé d'inventer la liberté. Car livre après livre, les décors s'étaient superposés, laissant voir de ce temps, entre les chatoiements des Lumières, l'implacable ossature d'ombre.

Ainsi, né avec la modernité, un lieu archaïque continuait de jeter son défi. Du fond de quelle mémoire, le roman noir revenait-il me hanter ? Et pourquoi avec une insistance de plus en plus grande ? De n'avoir jamais vraiment cessé de reparaître à l'horizon de l'aventure mentale des deux derniers siècles, ces châteaux imaginaires recelaient-ils donc la part maudite de notre pensée ? Autant d'interrogations qui m'amenèrent à faire coïncider certains points aveugles de ma réflexion avec le dessin de cette architecture de l'excès, jusqu'à m'entraîner à nouveau vers ce décor déjà repéré où pourtant les certitudes comme les jeunes filles n'en continuent pas moins de s'évanouir avec une déconcertante facilité.

Mais qu'est-ce que le roman noir? Qu'est-ce qu'un roman noir? Les définitions en sont nombreuses, disparates à souhait. Et leur diversité même donne une idée de l'envahissante mode du genre sombre qui suscita à la fin du XVIIIᵉ siècle d'innombrables romans en France, en Angleterre, en Allemagne, bref dans toute l'Europe. Généralement, pour ce qui est de l'intrigue, une jeune fille innocente et pure se trouve jetée sur les routes par les hasards de la vie. Et c'est le prétexte à un formidable voyage au pays des malheurs. Mais on chercherait en vain à cerner plus précisément le phénomène dans son ensemble. Surgi de nulle part et partout diffusé, habituellement publié sous pseudonyme et lu par un public anonyme, le roman noir est un genre essentiellement indéfini où le démarquage tient lieu de loi et le bricolage d'inspiration. Des plus sombres péripéties, le lecteur oubliera tout pour curieusement garder le souvenir d'un espace d'incertitude et d'obscurité, obsédant comme un morceau de ténèbres arraché à la nuit dont nous sommes faits. Et c'est peut-être pourquoi les critères littéraires n'ont jamais vraiment eu de prise sur cette soudaine nécessité de la nuit, insistante jusqu'à doubler d'irréalité le temps historique de la fin du XVIIIᵉ siècle européen.

Mais aujourd'hui, de cette immense vague d'ombre qui alla même jusqu'à atteindre l'Amérique, que reste-t-il? De quels signes a-t-elle façonné ou non les rivages du temps?

D'abord, je dirai la désarmante naïveté de ces livres, ourlée, festonnée, dentelée d'un mauvais goût définitif. Mais, après en avoir lu une quantité considérable, on retiendra surtout leur « inquiétante étrangeté » dont André Breton a su, le premier, percevoir les résonances « absolument modernes ». Car un siècle avant le célèbre « salon au fond d'un lac » de Rimbaud, c'est soudain en pleine époque des Lumières, le précipice au milieu du salon. Et c'est assez pour que ces livres échappent au temps qui les a vus naître. Inactuels comme la nuit d'où ils viennent, ils n'ont d'ailleurs jamais cessé de dériver au-devant de l'avenir. Et ces livres dont l'énigme est de constituer les uns à côté des autres la seule masse poétique brute des temps modernes, je crois même qu'avant André Breton en 1933, personne n'a su déceler quelle violence essentielle frémissait sous leur charme désuet : « ...ces livres étaient tels qu'on pouvait les prendre et les ouvrir au hasard, il continuait à s'en dégager on ne sait quel parfum de forêt sombre et de hautes voûtes. Leurs héroïnes, mal dessinées, étaient impeccablement belles. Il falla: les voir sur les vignettes, en proie aux apparitions glaçantes, toutes blanches dans les caveaux. Rien de plus excitant que cette littérature ultra-romanesque, archi-sophistiquée. Tous ces châteaux d'Otrante, d'Udolphe, des Pyrénées, de Lovel, d'Athlin et de Dunbayne, par-courus par les grandes lézardes et rongés par les souter-rains, dans le coin le plus enténébré de mon esprit persistaient à vivre de leur vie factice, à présenter leur curieuse phosphorescence [1]. »

Stupéfiante phosphorescence qui empêcha sans doute ces livres de sombrer dans l'histoire du goût et de se perdre définitivement dans le fouillis d'accessoires censé nous tenir lieu de préhistoire sensible. Certes, de forêt en forêt, de ruine en ruine, de château en château, le genre sombre ne manqua pas de piquer la curiosité de quelques universitaires qui voulurent y mettre de l'ordre : roman gothique d'origine anglaise, roman noir d'origine française, Ritter-, Räuber- und Schauerromane d'origine allemande. Encore que les études d'influence s'ingénient périodiquement à remettre en cause ces dénominations, laissant la désagréable impression qu'on pourrait recom-mencer indéfiniment à distribuer et redistribuer les mêmes étiquettes sans rien savoir de plus. Et pourtant, on se trouve là devant un fait aussi troublant qu'évident : au moment où toutes les pensées, toutes les volontés, toutes les énergies semblent occupées, consciemment ou non, par la fin d'un monde et l'avènement d'un autre – serait-ce pour s'y opposer – *une couleur,* je dis bien une couleur et en l'occurrence le *noir,* envahit l'Europe, en imprègne l'imaginaire, déteint sur la sensibilité générale et déborde les limites d'un genre, pour faire surgir les formes à l'intérieur desquelles elle va se fixer.

Je voudrais qu'on mesure l'énormité du phénomène, les écrans sensibles réagissant ici à la multiplicité, à la variété, à la rapidité des impulsions psychiques, intellectuelles et sociales qui font et défont le paysage européen entre 1760 et 1820, par une seule et même couleur. Comme d'un rêve dont on oublie tous les détails pour ne retenir impérieusement que l'atmosphère. Ainsi, d'un rêve évoquant à la fois l'essor sans précédent de la pensée rationnelle, la parfaite maîtrise du discours, les perspectives nouvellement dégagées de l'analyse, mais aussi les bouleversements de l'histoire, la violence des faits, les ivresses de l'espoir et du désespoir, l'Europe n'aurait gardé en mémoire que la couleur noire. Critique inavouée, inavouable de ce qui se fait et se dit alors? Peut-être, mais pas seulement, les chemins de l'imaginaire sont plus imprévisibles qu'on voudrait nous le faire croire. À d'autres la commodité de penser que le roman noir ne serait que le refoulé du siècle des Lumières. Au contraire, lieu mental que s'est trouvé et choisi cette époque-là, il constitue sans doute la première tentative – et sûrement la seule tentative plurielle – pour éclaircir une nuit dont nous ne sommes pas encore sortis. Nuit sensible, nuit mentale mais aussi nuit morale. Qu'on ne s'y trompe pas, le noir est aujourd'hui encore une couleur neuve.

Et je le dis, non pas tant par humeur que pour une certaine qualité de regard qui me semble faire cruellement défaut en ces temps d'indigestions idéologiques et de potions religieuses. Question de principe.

À travers les grilles qui ouvrent et closent l'espace historique, j'ai cherché à percevoir l'air du temps. Pas de faits, peu de repères, des déplacements d'énergie, des changements d'intensité, des glissements de formes. Rien de moins éphémère, rien de plus fugitif. Je regrette tant d'indétermination mais nous vivons aussi et surtout de cette mouvance sensible. Et faute de n'en avoir pas tenu compte, il n'est pas de précipice vers lequel nous n'avons dévié glorieusement. Alors j'aggrave. C'est à ce pari de miser sur la couleur noire que je me risque. Question de méthode.

Il aura fallu que les interprétations tombent une à une au fond de l'énigme noire pour découvrir de malentendu en malentendu la folle aventure d'*une couleur en quête de formes*. Je ne crois pas que les objets imaginaires naissent différemment. Et j'ai la naïveté ou la prétention de penser que l'histoire de mes infortunes à travers le roman noir m'aura permis d'appréhender aveuglément la nature de nos demeures sensibles.

...j'ai la naïveté ou la prétention de penser que l'histoire de mes infortunes à travers le roman noir m'aura permis d'appréhender aveuglément la nature de nos demeures sensibles.

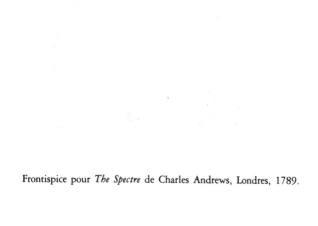

Frontispice pour *The Spectre* de Charles Andrews, Londres, 1789.

PREMIÈRE PARTIE

« *Chère imagination, ce que j'aime surtout en toi, c'est que tu ne pardonnes pas.* »

André Breton

J'ai parlé d'un certain regard. Né avec l'incroyance, il surgit au plus loin des certitudes, dans l'effervescence du questionnement, l'impatience de la découverte et le vertige de la lucidité. En pleine époque des Lumières, c'est lui et lui seul qui va changer le paysage, avec toutes les tempêtes que l'on sait. Comme si les bouleversements sensibles préparaient les bouleversements sociaux et non l'inverse. Car tout le XVIIIe siècle est miné par cette nouvelle façon de voir, avant, après, pendant les événements révolutionnaires. Est-ce à dire que sous les plus divers discours commence à agir là un même et profond mouvement de déni, s'étendant souterrainement en nappe de sourde et lointaine fermentation pour donner aux propositions les plus naïves ou les plus cyniques une troublante unité? Unité sans forme ni formulation d'une sensibilité dès lors essentiellement en quête d'elle-même. Unité contradictoire d'une pensée dès lors essentiellement en proie à la démesure qui l'engendre. Unité qui se cherche implacablement aujourd'hui encore sous les décombres successifs de nos certitudes abolies.

Assurément, notre modernité est très vieille. Et c'est peut-être là la moindre raison pour ne pas laisser s'estomper sous la poussière d'un décor démodé la radicalité qui la fonde.

Sinon, pourquoi prendre la parole sur un sujet qui, en soi, n'intéresse personne? Sinon, pourquoi continuer d'être occupée par un château qui n'a jamais existé et dont la silhouette fantasmatique tend à s'affaiblir en curiosité littéraire? Quelle est l'actualité de nos rêves? Sommes-nous si distraitement au monde puisque voilà deux siècles une époque entière se laissait justement fasciner au milieu du tourbillon révolutionnaire par le même château vaguement gothique et totalement imaginaire? Comment savoir démêler le bruit du temps des rumeurs de notre mémoire?

Je sais seulement que l'imaginaire est aujourd'hui aux abois. À trop avoir cédé au terrorisme du réel, à trop avoir consenti à s'y mesurer, il semble ne plus bien savoir passer outre, s'arrêtant devant les objets au lieu de les emprunter comme autant de passages dérobés dans la foule des apparences. D'ailleurs, cet épuisement progressif de l'imaginaire, toute la peinture des vingt dernières années en constitue la chronique détaillée, un style plus ou moins abouti, ou une idée plus ou moins brillante, correspondant à chaque étape décisive de cette subtile opération de « normalisation ». Ainsi, habilement réduit à l'impuissance sous une lente avalanche de choses occupant peu à peu l'espace avec une indécence que le pop art a si bien rendue, l'imaginaire trouve encore la force dans les années soixante sinon de choisir son ennemi, du moins d'inventer ses stratégies de défense : briser les objets, les mutiler de leur fonction, ou bien guetter leur convulsive destruction ou leur dégradation naturelle. La parade dure quelques années sans être pour autant efficace. De sorte que, dès 1970, l'imaginaire devient la proie fascinée d'un objet qu'il ne peut plus anéantir; il s'épuise à en faire le tour, hébété et subjugué – c'est l'hyperréalisme – quand il ne se contente pas d'évaluer honteusement le morceau d'espace que les choses dissimulent. Dans le même temps, de cette réflexion sur l'objet et son absence obscurément désirée, est né l'art conceptuel. À la suite de quoi, l'objet avait tout perdu, jusqu'à sa naïveté concrète, pour devenir le signe d'une rhétorique misérabiliste. Quant à la situation actuelle de l'imaginaire, tout au plus peut-on constater un retrait (ou n'est-ce qu'une retraite dans la stratégie des apparences ?) qui laisse les objets et les êtres crever de plénitude sous la mensongère lumière de leur nouvelle objectivité. Défaite ? Fuite ? Éclipse ? De la réponse dépend notre avenir sensible. Pourtant, une loi émerge avec ces questions : faute de vide, l'imaginaire disparaît. C'est sans doute pourquoi on n'a jamais tant produit et jamais moins créé.

Aussi, devant la pusillanimité sensible de ce temps, consentant de plus en plus à prendre les formes pour des clôtures et les mots pour le simple écho d'un indispensable rabattage sur le réel, on en vient à penser que la redondance est aujourd'hui un art et même le seul art qu'ait su se donner cette fin de siècle. Interchangeables, tous les signes le sont devenus à force de participer indifféremment aux plus divers plans d'aménagement du réel. À peine inconscients, à demi indifférents, nous assistons là à une entreprise de colonisation des signes sans précédent. Et il n'est plus de territoire sensible, fût-ce le plus reculé ou le plus à l'écart, qui ne risque un jour d'être touché par l'expansion de cette calme neutralisation.

Alors, fatigués de revenir de tout, les hommes ne songent qu'à croire en n'importe quoi. C'est facile, c'est trop facile. Pour avoir l'illusion de la liberté, il suffit de restreindre quelque peu le temps de ses visées : le retour des religions, les résurgences des nationalismes, la découverte subite des plus étonnants particularismes, sont autant d'éléments contribuant à délimiter de plus en plus étroitement cette peau de chagrin où l'on peut voir chaque jour diminuer l'idée que l'homme se fait de lui-même. Et par le plus spécieux des artifices, on se cherche des racines pour le seul plaisir de se donner des chaînes naturelles. Progrès incontestable : la servitude a aujourd'hui ses raisons écologiques.

Ce qui serait seulement ridicule si ce n'était dangereux. Car on glisse du dérisoire à l'ignoble sans bien s'en rendre compte. Et cela pour la bonne raison que telle évocation alourdissante de la glèbe natale ou tel autre nauséabond relent de terroir se recoupent avec les plus sinistres chromos raciaux en un projet commun – conscient ou non, peu importe puisque le résultat est le même – de liquidation de l'imaginaire. Rien de plus simple, on assigne un nom, une origine, un lieu, une forme, bref une identité à ce qui par définition n'en a pas. Il s'agit de fixer les pensées déplacées, d'organiser les voyages fantasmatiques, de stopper la fuite des rêves. Il s'agit d'abord de prendre l'imaginaire à la glu du repérable. Puis de le mater définitivement en l'affublant une fois pour toutes des semelles de plomb du réel.

Pratiquement, il n'est plus de fantasme qui n'ait aujourd'hui sa forme, sa couleur, son poids, et corrélativement son prix. L'imaginaire est en train de mourir de cette rage du concret qui tient plus d'une peur panique devant l'indéterminé que d'une passion véritable pour les choses. C'est d'ailleurs la même hantise de l'éventuel qui commande au spectacle dit pornographique de ces dernières années. La pratique systématique du gros plan y comble le spectateur en même temps que toute perspective imaginaire. Jamais encore nous n'avons été à ce point pris au piège de l'apparence, redondante jusqu'à obstruer complètement l'horizon. Et l'insignifiance délibérée des visages de ce spectacle pornographique parachève cette clôture de l'image sur elle-même. Aucun signe pour échapper à cet encerclement du concret. Monstrueusement présents mais aussi monstrueusement indifférenciés, les corps ne renvoient plus qu'à eux-mêmes.

Opération magistrale : pour la première fois peut-être, le désir est tout d'un coup privé de son histoire, réduit à n'être plus qu'un segment de temps dans un schéma de l'offre et de la demande. Que les tenants de l'ordre moral se rassurent : cette nouvelle censure par le gavage concret vaut aussi bien que l'ancienne — sinon mieux — puisqu'elle sépare cette fois définitivement le corps, des idées, qui ne deviennent dangereuses qu'à s'incarner. Ainsi, dans la neutralité envahissante des corps, plus question d'érotisme ni même d'obscénité qui, faute de sens, s'en vont rejoindre le magasin des accessoires. Mais du même coup, ce sont les corps qui se trouvent mutilés de leur pouvoir d'enchantement comme de leur pouvoir d'outrage. C'est cela le réalisme.

Tel serait le dernier avatar d'un obscur projet, fomenté sans doute aux alentours de l'après-guerre par les forces les plus diverses, voire antagonistes, pour imposer une vision réaliste (à tous les sens du terme) de l'homme et du monde. Commandée par cette sinistre réaction de pion ou de bureaucrate à la turbulence, à l'insolence, à la folie de l'entre-deux-guerres, la vie intellectuelle et sensible, à quelques glorieuses exceptions près, a activement travaillé dans ce sens : de l'existentialisme au structuralisme en passant par le réalisme socialiste et l'hyperréalisme, on pourrait retrouver les moments déterminants de cette sourde et progressive mainmise du réalisme sur l'imaginaire. Tant et si bien que notre marge de manœuvre est aujourd'hui des plus restreintes. Nous voilà le dos au mur et le front contre le réel. Savons-nous encore trouver des passages imaginaires vers les espaces improbables que nous habitons ?

Et pourtant, horizons nouveaux, paysages fantasmatiques, objets imaginaires, peu importe la dénomination, il n'est pas d'être qui n'y ait cherché et trouvé, enfant ou plus tard, la source de sa respiration mentale. Les objets imaginaires sont nécessaires à notre survie. Seulement, leur secret de fabrication commence justement à se perdre, sans que nous nous en rendions vraiment compte, dans l'éblouissement de l'instant, la vitesse des circuits, l'inflation des images. À cet égard, du passé comme de l'avenir nous n'avons rien à attendre. Il est grand temps de regarder du côté de l'inactualité, là où se fait l'éternelle jeunesse de nos désirs. Alors, comment ne pas être fasciné par une époque qui, au milieu de la tempête révolutionnaire, a su placer, en obstacles incontournables aux carrefours de ses idées-forces, ses enjeux imaginaires? Gigantesque machine à faire le silence dans le brouhaha idéologique du XVIIIe siècle, le château du roman noir est un des rares monuments historiques à visiter d'urgence. Car il est d'une brûlante inactualité.

« Melmoth réconcilié » ou le prix d'une entrée dans l'histoire

L'habitude veut qu'on fasse naître le roman noir d'un rêve solitaire de 1764, *Le Château d'Otrante* d'Horace Walpole, et que sa fin coïncide avec son apothéose en 1820 à travers l'errance infinie du *Melmoth* de Charles Robert Maturin. Soit une soixantaine d'années pour faire du caprice d'un aristocrate une révolution sensible, pour transformer une « folie » gothique en espace métaphysique et pour que l'exception sadienne s'inscrive comme l'obscure plaque tournante du XVIIIe siècle servant de fondement occulte à l'interrogation romantique. Voilà qui aurait dû suffire à changer quelques idées communément admises sur l'histoire de la sensibilité.

Or que s'est-il passé? D'abord, un engloutissement officiel du décor noir. Au bout de deux siècles, le roman noir n'a pratiquement pas droit de cité dans l'histoire littéraire. Ce qui présente d'incontestables avantages : par exemple, de perpétuer l'emprisonnement de Sade, en l'isolant ainsi de ses semblables en orage, pour continuer de le désigner comme fou, monstre ou même météore, suivant le point de vue.

Puis, en 1835, Balzac, vraisemblablement encore troublé comme beaucoup par la vague déferlante de la première révolte absolue contre la condition humaine, éprouve le curieux besoin d'y mettre un terme avec son *Melmoth réconcilié*. Qu'on ne s'y trompe pas : ce n'est pas une

25

fantaisie littéraire ni un exercice de style, c'est une mesure d'ordre. Comme d'autres l'ont fait de la dialectique, ici Balzac remet le roman sur ses pieds. L'entreprise et ses conséquences valent qu'on s'y attarde quelque peu.

Au héros de Maturin dont Baudelaire disait : « Melmoth est une contradiction vivante. Il est sorti des conditions fondamentales de la vie; ses organes ne supportent plus sa pensée [2] », à ce héraut du mal qui n'a pas assez des siècles ni de l'univers pour répandre sa malédiction, Balzac offre la dépouille d'un caissier de banque parisien qui, pour subvenir à des besoins d'argent grandissants, vend son âme au diable. La dégringolade est aussi terrible que significative. C'est l'imaginaire vaincu par l'ordre rationnel, c'est la métaphysique ramenée à la niche des religions, c'est la poésie disparaissant pour longtemps du roman, dès lors tout entier acquis au réalisme, c'est-à-dire livré à une surveillance sans relâche qui a pour but de déterminer comme unique référent l'empire du réel. Dans le meilleur des cas, le roman pourra devenir ce fameux miroir qu'on promène sur les routes, mais jamais plus ce regard capable d'ouvrir des échappées au plus près, au plus loin. La fiction accède du même coup à l'utilité, elle va servir de garde-fou : si le réalisme règne jusque sur le roman, comment désormais échapper à l'ordre des choses dans la vie?

Ainsi, ce n'est pas faute d'imagination mais bien par suite d'une farouche volonté de réalisme chez Balzac, que le malheureux caissier Castanier, devenu tout-puissant, se lasse très vite, trop vite de tout, à l'inverse de son modèle en malédiction, le *Melmoth* de Maturin. Plus exactement, il est repu avant d'être lassé. En quelque sorte incapable de goûter, de comparer, serait-ce les déceptions, il ne consomme les plaisirs que pour produire consciencieusement sa part quotidienne de désenchantement. D'avoir acquis ce pouvoir sans limite, il ne connaîtra qu'un très léger vertige de l'être : celui du nombre. C'est que privés de leur dimension imaginaire, tous les plaisirs tournent court. La quantité écrase ici toute notion de qualité. Réalisme oblige. Quelques jours et trois pages suffisent à ce pauvre bougre pour revenir de toutes les jouissances et de tous les crimes, de tous les temps et de tous les pays. Rien d'étonnant à cela : ce pacte avec le diable, le caissier du dixième arrondissement ne l'a signé que pour se dégager d'énormes dettes, d'emprunts frauduleux, mais jamais, au grand jamais, pour sortir des limites de la condition humaine. Castanier est un maudit économique comme on est aujourd'hui licencié économique. Balzac ne cherche d'ailleurs pas à nous tromper sur ce point : « Castanier n'avait pas, comme son maître, l'inextinguible puissance de haïr et de mal faire; il se sentait démon, mais démon à venir, tandis que Satan est démon pour l'éternité. » D'où la constante maladresse de Balzac à nous raconter l'histoire de ce démon intérimaire, coincé entre l'absolu et ses colonnes de chiffres. *Melmoth réconcilié*, c'est Satan chez les ronds-de-cuir, pris au piège de leur manque d'envergure. Tragédie à rebours : rien n'est plus dérisoire que d'avoir de grands moyens pour de petits besoins. Nous voilà bien loin du combat du ciel et de l'enfer. Ce n'est pas Dieu, comme le suggère Balzac, qui a ici raison de Satan, mais la médiocrité du monde comme il va, du monde réel.

La situation est d'ailleurs aussi inconfortable pour l'auteur que pour son héros. Empêché par son projet réconciliateur de faire au satanisme la partie belle, c'est-à-dire de se laisser gagner par la démesure nécessaire à une telle évocation du mal, Balzac se trouve également incapable de s'emparer de la quotidienneté avec cette brutalité avide qui lui permet souvent de sertir les êtres et les choses d'un bref éclat d'éternité. Encore que le développement préliminaire sur l'aberration anthropologique du métier de caissier soit infiniment plus réussi que la peinture attendue des frasques démoniaques de Castanier-Melmoth : « Il est une nature d'hommes que la Civilisation obtient dans le Règne Social, comme les fleuristes créent dans le Règne végétal par l'éducation de la serre, une espèce hybride qu'ils ne peuvent reproduire ni par semis ni par bouture. Cet homme est un caissier, véritable produit anthropomorphe, arrosé par les idées religieuses, maintenu par la guillotine, ébranché par le vice, et qui pousse à un troisième étage entre une femme estimable et des enfants ennuyeux. Le nombre des caissiers à Paris sera toujours un problème pour le physiologiste. » Difficile après une telle ouverture d'imaginer qu'elle introduit à une fable de l'amoindrissement, à une subtile mise à mort de l'imaginaire.

À en croire la critique, Balzac aurait mis beaucoup de lui-même dans ce dernier conte fantastique : « Le titre même de *Melmoth réconcilié* répond à de chères préoccupations. La " réconciliation " de la créature avec Dieu est, on le sait, le but que Martines de Pasqually assignait à sa théurgie : elle est demeurée une ambition fondamentale de l'enseignement martiniste auquel Balzac a été initié », affirme Pierre-Georges Castex, dans son étude sur *Le Conte fantastique en France*. Peut-être. Seulement, la « réconciliation », justement, ne se fait pas. Certes, Castanier se défait de sa dépouille satanique, mais pour aller mourir en chrétien médiocre, surtout poussé par la crainte de l'enfer. Mal à l'aise pour justifier cette retombée soudaine de la visée, Balzac invoque la *foi du charbonnier* : « La force de la croyance se trouve en raison directe du plus ou moins d'usage que l'homme a fait de sa raison. Les gens simples et les soldats sont de ce nombre. » Piètre compagnie pour un ex-démon! La faiblesse d'esprit et la simplicité du cœur suffisent-elles vraiment à vaincre si facilement les puissances du crime? C'est plutôt que l'affrontement du bien et du mal n'a pas eu lieu. Et il ne saurait s'agir ici d'une « réconciliation » mais bien d'un escamotage pour ne pas parler d'une rupture lourde de conséquences dans l'œuvre de Balzac et dans l'histoire de la sensibilité.

En fait, en écrivant *Melmoth réconcilié* en 1835, Balzac met fin à ce qu'on a appelé les *Études philosophiques* (*La Peau de chagrin* 1831, *Louis Lambert* 1832, *Séraphita, La Recherche de l'absolu* 1834) pour entreprendre une série de romans sous le titre général d'*Études sociales* qui deviendront plus tard *La Comédie humaine*. Et c'est par ce conte-règlement de comptes, qu'il rompt en quelque sorte avec cette part de lui-même tourmentée par le mystère de la pensée, s'interrogeant sur sa nature, ses pouvoirs et sa place dans l'univers. Comme il en termine définitivement avec les romans noirs – à ses dires ulté-rieurs « vraie cochonnerie littéraire » – qu'il écrivit en nombre incroyable entre 1822 et 1825 sous divers pseu-donymes et parmi lesquels *Le Centenaire ou les deux Beringheld*, 1822, est une très médiocre imitation du *Melmoth* de Maturin et *Le Vicaire des Ardennes*, 1822, est fortement inspiré du *Moine* de Lewis. Rupture aussi avec les préoccupations illuministes et occultistes du xviiie siècle pour ouvrir toutes grandes les portes du roman au matérialisme de la bourgeoisie triomphante du xixe.

Autant l'avouer tout de suite, je ne crois pas à l'histoire littéraire et encore moins à la tranquille continuité qu'elle voudrait instaurer. Je pense au contraire que l'histoire de ce qui s'écrit participe, au même titre que les autres formes d'expression, des immenses mouvances de la sen-sibilité qui ont toujours quelque chose de catastrophique, mais de catastrophique sourd, leur dessin se fomentant dans le secret de l'accident individuel. Et leurs modes de transmission tiennent plus des variations atmosphé-riques que la diffusion effective des idées. Toujours l'air du temps. Ainsi, me verra-t-on prêter attention ici ou là, indifféremment en Angleterre, en France ou ailleurs, à un ciel qui s'assombrit, à une forêt qui s'épaissit, à un horizon qui fuit trop loin, sans beaucoup me soucier des conditions objectives qui auraient présidé à l'apparition de ces phénomènes si peu objectifs. Je crois plus à la couleur safran que Flaubert voulait retrouver en écrivant *Salammbô* qu'à toutes les considérations de l'histoire littéraire sur ce roman. C'est pourquoi j'attache une importance considérable au *Melmoth* de Balzac malgré son peu de célébrité. Sa lecture s'accompagne trop nettement de bruits de portes qu'on verrouille. Le temps d'un divertissement fantastique aura suffi à condamner tout l'espace imaginaire. Avec quelle maestria l'immense champ métaphysique du premier *Melmoth* est ici racheté pour une bouchée d'espérance. Racheté pour disparaître en lotissements de bon sens et de bonne conscience. La liquidation de l'imaginaire n'aura pas traîné. Mais l'on n'a pas fini de mesurer les conséquences de cette douteuse opération immobilière au bout de laquelle le réel va couvrir tout l'espace, sans contestation possible.

Car si c'est là un des récits les moins réussis de Balzac, c'est à coup sûr l'une des plus brillantes victoires de la raison marchande : la vie de l'esprit raillée au même titre que Jacob Boehme à la fin du conte par un clerc de notaire ignare, la vie de l'imaginaire anéantie par le repentir de l'ancien caissier, tout rentre dans l'ordre du réel. Plus d'équivoque possible, les significations sont assurées comme les objets. Peu importe alors qu'elles continuent à circuler librement quand leur champ d'action est enfin strictement circonscrit à la réalité. Les résultats ne se font d'ailleurs pas attendre. Ironie de Balzac ou du temps : désireux de se défaire de ses terribles pouvoirs, Castanier se rend d'instinct à la Bourse. Et c'est l'imaginaire qui s'effondre définitivement dans l'espace romanesque : en moins d'un après-midi, le pacte maudit arrive presque à être coté en Bourse, du moins acquiert-il un cours, sujet aux fluctuations du marché.

« Lorsque [le nouvel acquéreur] eut payé ses effets, la peur le prit. Il fut convaincu de son pouvoir, revint à la Bourse et offrit son marché aux gens embarrassés. L'inscription sur le grand-livre de l'enfer, et les droits attachés à la jouissance d'icelle, mot d'un notaire que se substitua Claparon, fut achetée sept cent mille francs. Le notaire revendit le traité du diable cinq cent mille francs à un entrepreneur en bâtiment, qui s'en débarrassa pour cent mille écus en le cédant à un marchand de fer; et celui-ci le rétrocéda pour deux cent mille francs à un charpentier. Enfin, à cinq heures, personne ne croyait à ce singulier contrat, et les acquéreurs manquaient faute de foi. »

Le coup est remarquable. Et on ne saurait d'ailleurs mieux voir à quel point le fantastique, à l'inverse du merveilleux, vient ici prêter main-forte au réalisme pour le rendre en fin de compte hermétiquement étanche aux vagues d'infini toujours susceptibles d'emporter nos vies à la dérive. Comme si le principe fantastique n'avait d'autre fin que de se saisir d'une donnée irréelle pour la ramener imperceptiblement dans le cadre du réel, alors que le merveilleux, au contraire, surgit de tout ce qui découvre dans le réel, la faille, le faux-semblant, l'accident, pour s'en éloigner sans retour. Éternel départ du merveilleux, éternel retour du fantastique, telle serait leur éternelle divergence. En fait, le *Melmoth* de Maturin et le *Melmoth réconcilié* de Balzac sont des frères ennemis qui illustrent peut-être comme jamais encore cette opposition radicale du merveilleux et du fantastique : autant la soif d'absolu du premier Melmoth ne cesse-t-elle d'appeler en tout lieu, en tout moment, l'infini de l'espace imaginaire, autant le conte de Balzac, aboutissant à circonscrire, et du même coup à anéantir, la toute-puissance de son héros dans l'espace exigu d'un grenier de la rue Saint-Honoré, pourrait se confondre avec une opération essentiellement réductrice.

Plus de fuite vers l'imaginaire, plus de recherche de

l'absolu, toutes les passions de la créature humaine sont désormais localisables, mesurables. Le sens devient dès lors une valeur qui se contrôle comme les autres, plus que les autres. Et puisque la malédiction n'a plus cours, c'est justement tout ce qui échappe à l'évaluation réaliste qui se trouve par là même frappé de malédiction, c'est-à-dire de non-existence. Je ne crois pas qu'il faille chercher une autre origine à l'apparition avec le XIXᵉ siècle de la figure du poète maudit. Pléonasme touchant ou ridicule; en fait, il n'y a pas de poètes maudits et d'autres qui ne le seraient pas. Sous l'éclairage réaliste où les êtres et les choses semblent se contrôler mutuellement pour rester ce qu'ils sont, c'est la poésie elle-même, fauteuse de passages infinis, qui est maudite. Désormais, il n'y aura plus que des poètes maudits ou pas de poètes du tout. Et ce pour longtemps, jusqu'à ce que les poètes commencent eux-mêmes à maudire le monde, avec Dada et le surréalisme.

Aussi, en convertissant la dépossession métaphysique de Melmoth en simple besoin de possession pour le caissier Castanier, Balzac s'est-il improvisé le triste changeur de la rationalité en esthétique de l'offre et de la demande. Le réalisme constitue, sans aucun doute, le meilleur placement esthétique car il suppose un rendement idéologique considérable. À prétendre en effet décrire le monde tel qu'il est, on lui substitue simplement ce qu'on veut qu'il soit. Implicitement ou réellement les issues sont bloquées les unes après les autres, jusqu'à exclure, nier tout ce qui, par nature, se soustrait à cette emprise objective. Une idée prévaut dès lors sur toutes les autres, effaçant toute trace d'individualité pour fonder et instaurer un ordre de la quantité. Il faut que Balzac disparaisse derrière son système pour que celui-ci vaille. Proposition monstrueuse qui, à vouloir dire la vérité de tous, nie la vérité de chacun. Et non sans raison : en déterminant caractère, type, filiation, milieu, on a pour but de quadriller et de maîtriser toute la réalité. C'est le règne de la classification avant d'être celui de la police. Je suis peut-être injuste mais je ne peux m'empêcher d'être mal à l'aise quand, désireux de concurrencer l'état civil, Balzac écrit : « La société française allait être l'historien, je ne devais être que le secrétaire. » Ce n'est pas par hasard que, par la suite, tous les régimes totalitaires ont fait d'instinct, pourrait-on dire, ce choix esthétique. Avec cette remarque toutefois qu'on retrouve entre le réalisme bourgeois et le réalisme socialiste toute la différence existant entre le capitalisme privé des pays occidentaux et le capitalisme d'État des pays socialistes : au monopole du mensonge réaliste socialiste sciemment orchestré par une société tout entière, on peut opposer la naïveté du système balzacien, voire l'ivresse solitaire d'avoir trouvé le moyen de décoder l'univers. Un self-made-man peut quelquefois fasciner, un bureaucrate jamais.

Avec son génie, la raison marchande a su trouver en Balzac le scribe qui convenait à ses grands desseins. Sans doute, l'immense romancier s'octroie-t-il toute licence de peindre la folie humaine, mais dans les limites précises du cadre réaliste. Et son allégeance idéologique au monde qu'il décrit est telle que c'est la structure même de sa vision qui est porteuse de sens. Peu importe qu'il évoque sans complaisance une société dont il étudie les lois et les passions; peu importe qu'il ait aussi l'incomparable talent de peindre « la bataille inconnue qui se livre dans une vallée de l'Indre entre Madame de Mortsauf et la passion », quand l'exception vient confirmer la règle et quand la règle consiste à confirmer la très douteuse réalité d'un monde contraint de se refaire chaque jour à son image. Autant dire que la partie est chaque fois à recommencer et que le jeu est loin d'être innocent : de même que la présence de l'observateur modifie le phénomène,

33

de même tout discours tend à modifier le réel. Aussi, le choix réaliste implique-t-il toujours obscurément un acquiescement au monde tel qu'il est. Comme si le cadre existant – ou le cadrage – ne pouvait être remis en question et comme si les éventuels changements devaient se limiter à la permutation des éléments existants. À cet égard, toute entreprise réaliste, même dissidente, est garante de l'ordre. C'est peut-être scandaleux à dire, mais c'est ainsi. À combattre l'ennemi sur son propre terrain, on est contraint d'employer les mêmes armes. Là réside d'ailleurs le drame de la littérature dissidente en général : avant tout témoignage bouleversant, elle n'en perpétue pas moins le mensonge d'une sensibilité prise au piège du réel. C'est ainsi qu'on réussit à invalider la sensibilité comme le corps. Des générations ne s'en sont pas remises, ne s'en remettront pas. Telle est la plus sordide victoire de l'esthétique totalitaire : son efficacité est presque parfaite. C'est au prix d'une folie réelle ou imposée que certains parviennent parfois à échapper à cette mainmise sur le réel.

On comprendra peut-être mieux – ou pas du tout – mon extrême suspicion à l'endroit du réalisme. À en croire la critique extasiée, le monde de Balzac serait encore celui où nous vivons. Mais ne serait-ce pas parce que Balzac, profondément acquis à ce monde-là, a engagé ses prodigieuses qualités d'observateur à en asseoir les fondements ? Une fois le sens ainsi fixé, c'est le plus et le moins, l'économie et la dépense qui vont écrire l'histoire et les histoires. Par bonheur, Balzac joue le jeu jusqu'au bout : en cherchant à dépister la raison de la folie, il rencontre en chemin la folie de la raison. Trop passionné serviteur de la raison marchande, le voilà qui se laisse emporter par la folie du nombre. Et c'est cette seule folie qui fait sa grandeur, qui transforme l'observateur en visionnaire, éclairant parfois le réel de tous les feux de ce qui n'est pas. Néanmoins, on ne saurait se laisser abuser par la stature du personnage : c'est avec

34

Aussi, en convertissant la dépossession métaphysique de
Melmoth en simple besoin de possession pour le caissier
Castanier, Balzac s'est-il improvisé le triste changeur de
la rationalité en esthétique de l'offre et de la demande.

Illustration pour *Melmoth réconcilié*. *Études philosophiques* de Balzac, Paris, 1845, chez Furne, J.-J. Dubochet et J. Hetzel.

lui et par lui que le roman commence à se confondre avec le bilan. Bilan d'une époque, bilan d'une société, bilan d'une vie. Le monde de l'argent a trouvé son genre littéraire par excellence qui répercutera ses brillances, ses brutalités, ses subtilités, ses cruautés, ses contradictions dans l'espace de la fiction. Jusqu'à ce que la raison marchande en crise au début du xxᵉ siècle dépose son bilan en même temps que ses romans.

Intermède ridicule et réaliste : l'*année du patrimoine* nous a récemment inondés de ses fruits véreux. Le héros de l'affaire, Viollet-le-Duc, l'allergique de la ruine, le défaiseur de vide, le persécuteur de l'inachevé. Décidément, grâce à cet instinct de survie que partagent les parasites et les gouvernants, le pouvoir ne se trompe jamais : on célèbre ici celui qui, au même titre que Balzac avec son *Melmoth réconcilié*, et pratiquement au même moment, bouche définitivement la perspective imaginaire de l'espace gothique. En traquant les ruines, en comblant les brèches, en bricolant les manques, bref en restaurant fiévreusement, Viollet-le-Duc ne cherche qu'à effacer, nier, oublier les redoutables improvisations lyriques du temps, dans le seul but de rendre le monument à sa réalité ou à son semblant de réalité fonctionnelle et architecturale. Dans l'ordre plastique, l'opération Viollet-le-Duc constitue très exactement le pendant de la sourde manœuvre de *Melmoth réconcilié* dans le domaine des idées : ici et là, on a réussi ni plus ni moins à condamner un espace imaginaire. Rien d'étonnant à ce que cent cinquante ans après, nos ministres à tête de culture n'aient d'autre souci que de déterrer ce fossoyeur de vide. On ne sait jamais. Tout peut toujours bouger dans les profondeurs, en dépit des plus rassurantes prévisions. Alors, faute d'assurer l'avenir, on cherche à stabiliser à outrance l'héritage fantasmatique. Voici venue l'heure de gloire officielle des colmateurs en tous genres. C'est même par fournées qu'il faut de temps en temps les flatter du col dans les écuries présidentielles. Mais ici encore, la gauche et la droite se rejoignent dans leurs grands desseins d'asservissement sensible : on connaît les spectaculaires réalisations socialistes de reconstitution architecturale. Tout est à s'y méprendre, toujours d'époque, à la police près qui est bien de ce temps. C'est là la « culture matérielle » dont se glorifie l'archéologie soviétique. « Culture matérielle », on n'a peut-être jamais mieux dit à quel point dans l'esthétique réaliste le concret est utilisé comme garde-chiourme de l'imaginaire, ni comment les choses n'y sont exaltées que pour empêcher l'esprit de *passer*. Rien ne nous interdit de croire que la politique culturelle des bourgeois gentilshommes qui nous gouvernent, vise à cette même « culture matérielle ». Ne retrouve-t-on pas dans la muséographie de pointe fondée sur un indissociable mélange de promiscuité et d'interdit, la même démagogie répressive? Quelle que soit l'œuvre exposée, on s'applique à la faire paraître aussi accessible que tout autre objet. Voilà l'objet d'art mis à la portée de tous, alors même que, dans les limites du musée, cette accessibilité ne peut être que simulée. Résultat : l'objet, que l'art moderne avait rêvé aussi proche que déroutant, réapparaît étranger et lointain pour devenir la morne pâture de nos appétits fatigués de tant de malfaçons. C'est sans doute cela la politique culturelle, quand la prétention et la stupidité de ceux qui croient savoir, font bon ménage pour réincarcérer l'objet dans l'opacité de son statut d'objet, c'est-à-dire pour en faire une muraille de plus contre laquelle vient buter la pensée. Malheureusement, ce n'est pas le privilège du pouvoir. On a même entendu des imbéciles parler de « romantisme matérialiste », comme si l'histoire de notre modernité ne se confondait pas justement avec l'histoire d'une longue et implacable suspicion de l'objet, commencée avec le romantisme et parvenue à son point de plus grande intensité au début de ce siècle. Comme si du romantisme à nos jours, la ligne de crête de la pensée ne rendait pas très précisément compte d'une lutte sans merci contre la force des choses. On l'a presque oublié : l'imaginaire, comme l'amour, se perd ou se gagne.

« À flanc d'abîme...
le château étoilé »

Coïncidence fortuite, troublant hasard : sur l'horizon dévasté de l'aube du xxᵉ siècle, l'œil croit pouvoir distinguer la silhouette d'un château qui, à mesure qu'on l'observe, rappelle étrangement celui du roman noir. C'est à peine croyable, j'en conviens, mais sur les décombres de la Première Guerre mondiale, dans l'indécence d'une culture qui s'est affaissée sur elle-même, seul cet édifice imaginaire semble posséder en lui-même le principe ou la vertu, non seulement de s'élever au-dessus du carnage, mais aussi de s'élever contre l'ensemble des forces qui viennent de jeter une génération à terre. Je n'invente rien, même si, après l'emphase futuriste, peu de regards peuvent encore discerner l'anachronique dessin de cette architecture plaquée sur le vide.

Une fois de plus, c'est en vain que l'on chercherait dans l'histoire de l'art trace de ce que j'avance ici. Mais c'est en vain aussi que l'on y chercherait comment le sens s'est alors brusquement retiré de toutes les formes, et même des plus modernes, laissant pour seul horizon un désert sensible jonché d'aberrantes carcasses. Magnétisme du désespoir, des hordes de jeunes gens, déterminés à reconsidérer avec la plus sauvage rigueur un monde qui a trahi leur jeunesse, commencent à sillonner les campagnes de l'esprit. Et c'est là que se produit l'accident qui va ébranler pour longtemps la masse imaginaire. Nous en sommes aujourd'hui encore à en enregistrer les conséquences; sans bien savoir où, quand, comment, repérer le point de rupture, la ligne de fracture, le glissement des continents sensibles. Pourtant, sur l'horizon de la désolation, les figures sont à ce moment-là très nettes : tout ce qui vit est révolté, c'est alors la condition même de la vie, comme si la vie se confondait fondamentalement avec la révolte. Révolte essentielle, révolte soudain constitutive de l'humanité, révolte qu'entre tous les surréalistes veulent sans limites. Mais on ne le dira jamais assez, révolte alors sans langage, pouvant seulement se révéler à elle-même par quelques choix sensibles aussi violents que décisifs.

Or, le premier va au roman noir puisque de toute la production romanesque, je dis bien de toute, les surréalistes décident de ne retenir que *Le Moine* de Lewis, paru en 1796. La part de provocation d'un tel choix est certaine. Encore que Breton précise dans le premier *Manifeste* que ce livre, tout entier animé par « le souffle du merveilleux », « ...n'exalte, du commencement à la fin, et le plus purement du monde, que ce qui de l'esprit aspire à quitter le sol et que, dépouillé d'une partie insignifiante de son affabulation romanesque, à la mode du temps, il constitue un modèle de justesse, et d'innocente grandeur ». Néanmoins, c'est en ce qu'elle a d'aveugle et de non contrôlé que la provocation frappe ici au plus juste.

Je ne suis pas sûre, en effet, que Breton – pas plus que ses amis – ait d'emblée reconnu le lieu mental, vers lequel se tournait son regard, en retrouvant dans les personnages de Lewis « cette passion de l'éternité qui les soulève sans cesse » et « prête des accents inoubliables à leur tourment et au mien ». Car c'est juste après avoir évoqué les formes de cristallisation successive du mer-

...de toute la production romanesque, je dis bien de toute, les surréalistes décident de ne retenir que Le Moine *de Lewis, paru en 1796.*

veilleux – « ce sont les *ruines* romantiques, le *mannequin* moderne » ou encore « les potences de Villon, les grecques de Racine, les divans de Baudelaire », sans mentionner le château gothique – que Breton, pour suggérer l'espace éperdu des passions surréalistes, jette son dévolu sur un château, lointain et proche comme ceux de l'enfance, incertain et sans limites comme ceux du roman noir.

« Pour aujourd'hui je pense à un *château* dont la moitié n'est pas forcément en ruine ; ce château m'appartient, je le vois dans un site agreste, non loin de Paris. Ses dépendances n'en finissent plus, et quant à l'intérieur, il a été terriblement restauré, de manière à ne rien laisser à désirer sous le rapport du confort. Des autos stationnent à la porte, dérobée par l'ombre des arbres. Quelques-uns de mes amis y sont installés à demeure : voici Louis Aragon qui part ; il n'a que le temps de vous saluer ; Philippe Soupault se lève avec les étoiles et Paul Éluard, notre grand Éluard, n'est pas encore rentré. Voici Robert Desnos et Roger Vitrac, qui déchiffrent dans le parc un vieil édit sur le duel ; Georges Auric, Jean Paulhan ; Max Morise, qui rame si bien, et Benjamin Péret, dans ses équations d'oiseaux ; et Joseph Delteil ; et Jean Carrive ; et Georges Limbour, et Georges Limbour (il y a toute une haie de Georges Limbour) ; et Marcel Noll ; voici T. Fraenkel qui nous fait signe de son ballon captif, Georges Malkine, Antonin Artaud, Francis Gérard, Pierre Naville, J.-A. Boiffard, puis Jacques Baron et son frère, beaux et cordiaux, tant d'autres encore, et des femmes ravissantes, ma foi. Ces jeunes gens, que voulez-vous qu'ils se refusent, leurs désirs sont, pour la richesse, des ordres. Francis Picabia vient nous voir et, la semaine dernière, dans la galerie des glaces, on a reçu un nommé Marcel Duchamp qu'on ne connaissait pas encore. Picasso chasse dans les environs. L'esprit de *démoralisation* a élu domicile dans le château, et c'est à lui que nous avons affaire chaque fois qu'il est question de relation avec nos semblables, mais les portes sont toujours ouvertes et on ne commence pas par « remercier » le monde, vous savez. Du reste, la solitude est vaste, nous ne nous rencontrons pas souvent. Puis l'essentiel n'est-il pas que nous soyons nos maîtres, et les maîtres des femmes, de l'amour, aussi? »

On sait aujourd'hui que la liste des visiteurs est ici loin d'être complète. Étrange comme à peu près tout ce qui va compter dans l'art moderne se trouvera incité à aller et venir, quand ce n'est pas loger, dans cette demeure délibérément archaïque. Comment ne pas remarquer le mouvement de retour – brusque retour de flamme – se produisant là vers le même décor anachronique qui déjà, plus d'un siècle avant, avait abrité pendant une soixantaine d'années un des hauts lieux de l'imaginaire européen? Comment ne pas remarquer qu'à l'aube même du surréalisme surgit là la fameuse « question des châteaux » qui ne va cesser d'inquiéter Breton sa vie durant? Ici en 1924 dans le premier *Manifeste,* puis la même année dans l'*Introduction au discours sur le peu de réalité,* en 1932 dans *Le Revolver à cheveux blancs,* en 1933 dans *Les Vases communicants,* enfin en 1937 avec *Limites non-frontières du surréalisme,* et encore en 1954, dans *Situation de Melmoth,* préface à la réédition du livre de Maturin.

Préoccupation aussi constante qu'étonnante chez un esprit qui semblait avoir fait sien le désir de Picabia de « traverser les idées comme les villes ». Au point même que dans *Limites non-frontières du surréalisme,* dans ce texte de réflexion profonde sur l'activité surréaliste au milieu de la fièvre de l'avant-guerre, Breton en vient tout naturellement, pourrait-on dire, à replacer au centre de ses interrogations cette « question des châteaux » dans des termes qui engagent la vie de l'esprit : « Le psychisme humain, en ce qu'il a de plus universel, a trouvé dans le château gothique et ses accessoires un lieu de fixation si précis qu'il serait de toute nécessité de savoir ce qu'est pour notre époque l'équivalent d'un tel lieu. (Tout porte à croire qu'il ne s'agit pas d'une usine.) » Questionnement des plus fondés si Breton ne venait pas d'avouer quelques lignes avant : « Mes propres recherches tendant à savoir quel lieu serait le plus favorable à la réception des grandes ondes annonciatrices m'ont immobilisé à mon tour, du moins théoriquement, dans une sorte de château ne battant plus que d'une aile. »

Contradiction? Oubli soudain? Pas du tout. Ce château que Breton aurait occupé dès 1924 avec la plus grande insolence poétique (« c'est vraiment à notre fantaisie que nous vivons, *quand nous y sommes* »), où il dit encore lyriquement demeurer, l'histoire semble soudain l'en tenir ici éloigné, ou tout au moins paraît l'empêcher de le reconnaître pour véritablement sien. Telle est la contradiction lyrique qui commande au repérage urgent de ces *Limites non-frontières du surréalisme.* Je ne sais d'ailleurs pas de texte se situant plus délibérément au cœur de la plus grande tension entre l'actualité (la guerre d'Espagne, le Front populaire, la montée du nazisme) et l'inactuel (ce château, vaisseau-fantôme de l'imaginaire, dérivant une nouvelle fois sur les eaux menaçantes de l'histoire, mais laissant voir dans son sillage, entre les chatoiements du romantisme, l'automatisme, le hasard objectif, l'humour objectif). Car il s'agit de ne pas choisir mais au contraire d'aviver les tensions, à partir de la certitude que c'est seulement de la violence contradictoire des forces en jeu que peut naître une solution lyrique. Également étranger à l'idée de se laisser emporter dans les tourbillons du temps comme à celle de se réfugier dans une construction sensible, quelle qu'elle soit, Breton voit soudain ce qu'il avait toujours pressenti : à la lumière froide des éclairs qui précèdent l'orage, le voilà définitivement convaincu qu'il n'habite nulle part, que la poésie n'a pas de lieu. Ainsi, sous la tension intérieure du projet surréaliste, les formes n'auraient-elles d'autre destin que de se défaire. Ainsi, n'y aurait-il pas de signe, de matériau, de structure, capable de résister à l'étoilement des perspectives dont le surréalisme marque à

chaque fois le cœur de ses éphémères demeures. Noma-
disme flamboyant qui suffirait à expliquer, s'il en était
encore besoin, qu'il n'y a pas plus de style surréaliste
que de peinture surréaliste, quand il n'est question que
de poursuivre à travers les formes les imprévisibles figures
du désir.

Voilà bien les « limites » du surréalisme, cette impossibilité à se fixer et à fixer les mots, les formes, en mots
d'ordre, en signes de ralliement, fussent-ils même esthétiques. D'où sa splendide inutilité et son peu de prise
sur l'histoire immédiate. Mais voilà aussi ses « non-
frontières », tout le champ du possible pour s'y aventurer
et pour y faire passer tout l'homme avec armes et bagages.
L'ampleur du projet vaut bien qu'on prenne quelque
distance avec la marche du monde. Sans pourtant jamais
perdre celui-ci de vue, faute de quoi la quête tournerait
vite court dans les marais de la subjectivité.

Alors pourquoi cette tentative, cette tentation de Breton de donner l'ombre d'une demeure ou une demeure
d'ombre à cette pensée qu'il sait sans feu ni lieu ? Problème de point de vue, plus exactement d'angle de vue.
Ce que Breton cherche passionnément, et plus que jamais
en 1937, c'est justement le point de rencontre indéterminé, indéterminable, si ce n'est lyriquement, de la
perspective individuelle et de la perspective historique.
Point aveugle pour laisser place à un point de vue
inconnu. Point hagard développant le grand angle d'un
espace ni subjectif ni objectif, d'un *espace inobjectif.* Et
c'est là que se formule très exactement la « question des
châteaux » au centre du surréalisme. Telle une ombre
qui ne cesserait de disparaître sous la pression de l'histoire
pour resurgir continuellement, non pas en contrepoint,
mais comme point de fuite des plus sombres tableaux.
Comme si c'était de là – *et de là seulement* – qu'on
pouvait embrasser tout le paysage. Avec quelle insistance,
Breton se tourne-t-il en ces années de trouble vers ce
château des brouillards, avec quelle passion interroge-

t-il ce lieu incertain, persuadé que la réponse sensible pourrait aussi se lire en 1937 comme à la fin du XVIIIe siècle à travers le dessin convulsif de l'ogive gothique! Et c'est le même pari que dans *L'Amour fou* : « À flanc d'abîme, construit en pierre philosophale, s'ouvre le château étoilé. » Peut-on rêver plus stupéfiante construction que ce décor adossé au vide pour ouvrir, aux guetteurs que nous sommes, ses fenêtres battantes sur l'énigme de nos vies? Monument d'interrogation infinie, indifféremment modelé par les orages du cœur et les rafales du temps, voilà ce qui fascine Breton dans cette construction toujours en suspens : « Oui, il doit exister des observatoires du ciel intérieur. Je veux dire des observatoires tout faits, dans le monde extérieur naturellement. Ce serait, pourrait-on dire du point de vue surréaliste, la *question des châteaux* [3]. » Question qui n'en finit pas de reposer celle de la situation de la poésie. Car ce château que Breton perd de vue par intermittence pour en considérer cependant aux grands moments de trouble les reflets tremblés dans la houle du temps, ce château qui le hante, Breton n'a pas cessé de le hanter, voire de le reconstruire au plus enfoui de lui-même, jusqu'à ne plus le reconnaître.

Loin de moi l'idée de prétendre qu'il s'agirait là d'une prédilection personnelle s'aveuglant sur sa propre aberration. Au contraire, à l'intérieur même du surréalisme, ce goût des châteaux semble avoir rassemblé ceux pour qui, à la différence d'autres d'abord préoccupés d'une révolution sociale, la poésie était alors l'ultime aune de la révolte humaine : Éluard, Péret, Artaud, Tzara. Telle serait la seule commune mesure de personnages si dissemblables. Mais commune mesure si constamment occultée qu'elle en paraît aujourd'hui encore aberrante. Car ce qui fascine ici les uns et les autres et que ni les uns ni les autres ne veulent voir ou ne savent dire, au moment où l'idéologie marxiste cherche à imposer dans toutes les têtes la seule réalité du temps historique, c'est la radicale inactualité de cette demeure imaginaire, autrement dit la radicale inactualité de la poésie s'avançant toujours masquée sur la crête du temps.

En fait, toutes les tensions du surréalisme tournent autour de ce château occulté : le surréalisme est né de cette radicale inactualité et ses faiblesses viennent de s'en être parfois éloigné jusqu'à devoir accommoder son regard à la très relative mesure de l'actualité. Qu'on me comprenne bien, si faiblesse il y a, ce n'est pas d'avoir tranché dans le temps, mais de l'avoir fait à différentes reprises d'un peu trop près, de ne pas avoir toujours eu recours à la distance poétique comme instrument de haute précision. Faute de ce point de vue qui s'acquiert au péril de la pensée, il n'est pas de regard objectif susceptible d'échapper à l'un ou l'autre des troubles de la vision. Et on entrevoit peut-être ici l'enjeu de ce qui se joue depuis plusieurs siècles autour de cet « observatoire du ciel intérieur » recelé par le roman noir. C'est l'image de notre existence qui en dépend, c'est-à-dire notre existence elle-même puisque dans la vie comme dans l'art c'est toujours « le regardeur qui fait le tableau ».

Comment la pensée marchande du XIXe siècle n'aurait-elle pas tout fait pour effacer de la carte de ses rêves ce promontoire de néant surplombant l'horizon humain ? Mais comment aussi notre époque de clercs n'aurait-elle pas cherché à en finir proprement avec cette encombrante ruine ? C'est maintenant presque chose faite quand depuis une vingtaine d'années tous les lieux gothiques et obscurs sont soumis aux plus sérieuses entreprises de rationalisation. Psychologie des profondeurs, matérialisme historique, psychanalyse, structuralisme, dirigent inlassablement leurs bulldozers vers cette ruine-fantôme. Mais en vain, semble-t-il, puisque thèses, études, dossiers, épars et prolixes, n'en finissent pas de vouloir nous donner une vue claire et nette des ténèbres. Dans l'acharnement qui

Point hagard développant le grand angle d'un espace ni subjectif ni objectif, d'un espace inobjectif.

Le château étoilé dans *L'Amour fou* d'André Breton, éd. Gallimard,
Paris, 1937.

préside à toutes ces tentatives, ne manquons pas d'y voir un des aspects-choc de la vaste opération réductrice qui aura marqué jusqu'au ridicule non seulement la critique littéraire mais aussi les sciences humaines de cette deuxième moitié du xxᵉ siècle.

À cet égard, la dialectique marxiste n'a pas peu contribué à ce que soit souligné à la moindre occasion l'anachronisme de cette demeure imaginaire. Je ne sais aucune analyse récente du roman noir qui résiste à la tentation d'y lire l'agonie et la nostalgie du féodalisme. Consternante application de la trop fameuse théorie marxiste du reflet qu'intuitivement Breton et Péret se sont employés à combattre chaque fois qu'ils se sont penchés sur cette « question des châteaux », insistant paradoxalement sur la très forte implantation historique du roman noir, pour affirmer dans le même mouvement la survie lyrique de cette construction des ténèbres. Ainsi, Péret redisant en 1952 l'*Actualité du roman noir* : « À l'origine du roman noir, il faut, en effet, placer la révolte contre le monde extérieur, produit par l'homme, et la révolte contre la condition humaine elle-même, ce phénix qui renaît de sa propre satisfaction [4]. » Et Breton discernant en pleine nuit sensible la filiation hallucinée de l'aventure poétique occidentale : « ...le surréalisme n'en est encore qu'à enregistrer le déplacement, de l'époque du roman noir jusqu'à nous, des plus hautes charges affectives de l'*apparition* miraculeuse à la *coïncidence* bouleversante et à demander qu'on accepte de se laisser guider vers l'inconnu par cette dernière *lueur,* plus vive aujourd'hui que toute autre, en l'isolant, chaque fois que l'occasion s'en présente, des menus faits de la vie [5] ». Nous sommes en 1937, la vibration de la voix, la grandiloquence du ton sont d'abord autant de façons de conjurer une angoisse qui alourdit alors chaque parole d'un écho lugubre. Angoisse incontournable, angoisse aussi historique que métaphysique. Angoisse indéterminable, si ce n'est lyriquement.

Et, d'être le seul moyen de la sonder, la poésie s'avère le seul moyen de la vaincre.

Surgi avec l'esprit de démoralisation, le château du roman noir constituerait le premier dispositif lyrique construit à cet effet. C'est même le premier instrument de mesure qui permet dorénavant d'envisager la poésie comme météorologie inobjective, établissant dans un éclair que l'imaginaire a toujours partie liée avec le désespoir. La modernité commence avec cette découverte collective et inconsciente. Pour en mesurer l'ampleur, nous n'avons pas fini d'explorer l'architecture noire, première tentative d'édifier une demeure humaine entre le néant et l'absolu. C'est une des gloires du surréalisme que d'avoir inauguré cette archéologie. C'est une des misères de la critique contemporaine que d'avoir tout mis en œuvre pour trouver les moyens objectifs d'en effacer un à un les signes sur le sable de notre sensibilité.

Un rêve de pierre

À vrai dire, fanatiques au point de tout miser sur la nuit contre les douteuses clartés d'une pensée occidentale exsangue, les surréalistes n'ont cherché qu'à emprunter, au début tout au moins, le plus obscur chemin, sans bien se rendre compte qu'ils avançaient sur l'ombre portée de l'architecture noire. C'est pourtant en la remontant comme une ténébreuse rivière qu'ils ont fait leurs plus agitantes rencontres : loin des bruits du temps, dans la dangereuse légèreté de l'exil, c'est au fil de cette ombre courante que leur sont apparus Lautréamont, Rimbaud, d'abord, puis Huysmans, Baudelaire, Bertrand, Borel, et encore Hugo, Constant, Chateaubriand, Young... Telle est l'évidence noire : tout ce qui porte l'orage en soi, tout ce qui s'interdit de séjour, hante un même lieu où viennent sombrer couleurs et reflets du monde. Et il suffit que l'œil s'accoutume quelque peu à l'absence de lumière pour voir les multiples parcours, impatients, divergents, sinueux, se croiser au point le plus obscur du paysage.

Au point le plus absent de l'horizon aussi, là où apparaît et disparaît, suivant l'angle de vue, un imprenable château en ruine qui, au gré des orages ou des modes, livre et dérobe au regard l'énigmatique silhouette du marquis de Sade. Car ce château, prison réelle et imaginaire jusqu'au vertige, forteresse d'infini continuellement menacée, personne ne l'a habité avec autant de désespoir et de passion que Sade. Parce que aussi, pour vivre dans la prison du monde, personne n'a su avec autant de frénésie repousser les murs du réel. En fait, il n'est pas de château qui n'appartienne à Sade comme il n'est pas de prison dont il n'ait été le prisonnier, puisque pour lui le château est une prison et la prison un château, selon la déchirante équivalence de la souveraineté et de l'emmurement, découverte au prix de sa liberté.

Mais je doute qu'on évalue aujourd'hui à quel point cette décisive surimpression d'une existence et d'une architecture, d'une pensée et d'un espace, constitue la trouvaille lyrique qui a purement et simplement renversé les perspectives, arrachant de sa malédiction le maître incontesté de ces lieux insalubres, le marquis de Sade. Pour la première fois et au su de tous, grâce à elle, la prison du temps a cédé sous le désir d'absolu. Gage fulgurant que d'autres solitudes, d'autres révoltes, d'autres désespoirs portaient en eux-mêmes de quoi abolir les parois du temps et élargir à l'infini l'architecture noire de nouveaux abîmes, de nouveaux effondrements, de nouvelles arcanes. Trouvaille lyrique pourtant occultée et occultant le fait que, chemin faisant, les surréalistes n'avaient rien moins que localisé le lieu de rencontre clandestin de l'imaginaire européen. C'est d'ailleurs à errer autour, à l'intérieur de cette région obscure, que tout le XIXᵉ siècle, de Chateaubriand à Flaubert, de Gautier à Byron, a profondément subi l'influence inavouée, inavouable de Sade. À ce paradoxe près que Sade est si immense qu'il masque le château imaginaire où il a lui aussi, après les autres, avant les autres, peut-être même à l'exclusion des autres, élu domicile.

Voyez le célèbre portrait de Sade par Man Ray : pour l'éternité, un homme de pierre, un regard de pierre, un destin de pierre. Nous voici devant un être qui s'est inventé une envergure menaçant la très lointaine Bastille où il est censé être enfermé. On ne saurait rêver plus infernale ou plus humaine réplique à la statue du Commandeur. Le rire de Don Juan ne foudroie plus celui qui a eu l'audace de se placer devant le miroir ardent de son destin. Le rire de Don Juan a soudain trouvé l'espace qui le répercute à l'infini en indomptable écho de la révolte humaine. Car à défier non plus seulement la mort mais le temps qui la contient, le libertin a gagné son éternité. Pari obsédant depuis ses origines la pensée libertine, mais pari jusqu'alors jamais tenu. Tel est ce rêve de pierre lancé par Sade contre l'horizon humain : en brisant la linéarité du temps, l'imaginaire a gagné son espace.

D'où l'extrême fascination (négative, positive, peu importe) que Sade, au-delà du scandale manifeste de sa pensée, exerce de génération en génération : quelque chose en profondeur n'en finit pas de retenir l'attention, quelque chose qui me paraît aujourd'hui se confondre avec l'immense obscurité de la liberté. Et si les surréalistes furent les premiers à lever l'interdit jeté sur Sade, ils furent, aussi et surtout, les premiers à voir dans son aventure une des clefs de la modernité, sans néanmoins songer à en déterminer la nature bouleversante.

Pourquoi Sade continue-t-il en effet d'échapper aux plus sérieuses interprétations comme aux plus brillants commentaires? Pourquoi la même impression de tragique inutilité revient-elle à la lecture de ses plus éminents préfaciers, à l'exception de Maurice Heine et de Gilbert Lely qui, avant de le commenter, l'ont aimé? Pourquoi enfin Sade, en dépit des plus subtiles tentatives pour lui donner un sens, continue-t-il de n'en pas avoir? Pour une raison très simple, la plupart du temps méticuleusement dissimulée, affleurant parfois par transparence, en filigrane des plus pénétrantes analyses : ce n'est pas une philosophie, ni un discours et encore moins une écriture que Sade a inventés mais un *espace*. D'où l'extrême confusion autour de cette dangereuse figure quand, au-delà du rejet ou de l'exaltation, au-delà des hypothèses avancées et qu'on continue hélas d'avancer, l'apparition de l'espace sadien est liée à la première violence poétique perpétrée contre la raison raisonnante.

À cet égard la déraison de Sade n'est pas sans rappeler celle des *Pensées* de Pascal, puisque dans un cas comme dans l'autre, le même excès de sens déborde la linéarité du discours pour conquérir, par effraction, la profondeur en même temps que le vertige d'une autre dimension. Et la transgression poétique est peut-être tout entière dans cette trouée de l'aplat du discours, dans cette soudaine mise en volume de la scène. Reste à savoir où, quand, comment elle se produit. Reste à savoir aussi s'« il n'y a rien de si conforme à la raison que ce désaveu de la raison », comme le remarque Pascal. Un siècle plus tard, tel aurait pu être le projet de Sade, si ce désaveu ne se faisait pas au profit de Dieu mais de l'homme. Au profit, comme les mots trahissent quand c'est justement d'être inapte et inadapté au moindre ancrage idéologique qui fait la radicale nouveauté de Sade.

Alors que se passe-t-il donc là ? Pourquoi la philosophie se mêle-t-elle soudain de ce qui ne l'a jamais occupée ? Pourquoi devoir à un raisonneur l'acte poétique le plus considérable du XVIIIe siècle ? Qu'y a-t-il derrière ce travestissement de la poésie en discours philosophique ?

Il y a d'abord un château fermé. Mais premier paradoxe, ce château est assurément le lieu imaginaire le plus fréquenté du siècle. Tous les chemins de la fiction romanesque y mènent de même que les innombrables méditations et élégies y ramènent les pas de l'errance lyrique. Ce qui laisse déjà planer quelque doute sur le bien-fondé d'une critique actuelle faisant supposer que le monde de Sade se clôture toujours dans le même espace pour l'unique raison que lui-même a passé trente ans de sa vie emprisonné. Que je sache, Sade n'a rien d'un écrivain

Voyez le portrait de Sade par Man Ray : pour l'éternité, un homme de pierre, un regard de pierre, un destin de pierre.

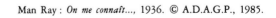

réaliste. Je crois plutôt que, faute de savoir saisir les tragiques incidences de ces années d'incarcération, on se satisfait de ce sot rapport de cause à effet, ce qui est pour le moins surprenant chez des personnes pour la plupart occupées d'écriture. Enfin, à considérer le nombre des châteaux qui circonscrivent la fiction à la fin du XVIIIe siècle, c'est une part impressionnante de la littérature européenne qui aurait été le fait d'auteurs embastillés.

Mais ces erreurs sont significatives : elles sont possibles parce que l'ampleur de Sade est telle que son ombre recouvre les multiples apparences de ce lieu fantasmatique. Même si dans l'imaginaire du XVIIIe siècle, le château se laisse modeler par les plus divers éclairages dont l'origine est indifféremment sociale, lyrique, sentimentale, libertine, c'est toujours la même construction. Il suffit que le jeu de lumière change pour que nous ne la reconnaissions jamais. Encore moins quand l'arbitraire de la détention de Sade impose l'image de la prison au détriment de toutes les autres.

Et pourtant les constructions de Sade empruntent à toutes les autres. C'est même là le secret de leur clôture. Ainsi, le système de fermeture social (enceintes, murailles, fossés, les plus sûres techniques carcérales) se conjugue au système de fermeture lyrique (l'isolement, les montagnes, les précipices, les menaces naturelles) pour parachever le système de fermeture libertin (sorte de défiance de la réflexion à l'égard de son objet). Qu'on en juge par la description du château des *Cent vingt journées de Sodome* qui ne semble pas bâti avec des pierres mais avec une matière autrement plus résistante, tel un conglomérat de clôtures redoublées à l'infini :

« Dans le fait, la description suivante va faire voir combien... il devenait difficile de pouvoir parvenir à Silling, nom du château de Durcet. Dès qu'on avait passé la charbonnerie, on commençait à escalader une montagne presque aussi haute que le mont Saint-Bernard

et d'un abord infiniment plus difficile, car il n'est possible
de parvenir au sommet qu'à pied. Ce n'est pas que les
mulets n'y aillent, mais les précipices environnent de
toutes parts si tellement le sentier qu'il faut suivre, qu'il
y a le plus grand danger à s'exposer sur eux. Six de ceux
qui transportèrent les vivres et les équipages y périrent,
ainsi que deux ouvriers qui avaient voulu monter deux
d'entre eux. Il faut près de cinq grosses heures pour
parvenir à la cime de la montagne, laquelle offre là une
autre espèce de singularité qui, par les précautions que
l'on prit, devint une nouvelle barrière si tellement insurmontable qu'il n'y avait plus que les oiseaux qui pussent
la franchir. Ce caprice singulier de la nature est une fente
de plus de trente toises sur la cime de la montagne,
entre sa partie septentrionale et sa partie méridionale, de
façon que, sans les secours de l'art, après avoir grimpé
la montagne, il devient impossible de la redescendre.
Durcet a fait réunir ces deux parties, qui laissent entre
elles un précipice de plus de mille pieds de profondeur,
par un très beau pont de bois, que l'on abattit dès que
les derniers équipages furent arrivés : et, de ce moment-
là, plus aucune possibilité quelconque de communiquer
au château de Silling. Car, en redescendant la partie
septentrionale, on arrive dans une petite plaine d'environ
quatre arpents, laquelle est entourée de partout de rochers
à pic dont les sommets touchent aux nues, rochers qui
enveloppent la plaine comme un paravent et qui ne
laissent pas la plus légère ouverture entre eux. Ce passage,
nommé le chemin du pont, est donc l'unique qui puisse
descendre et communiquer dans la petite plaine, et une
fois détruit, il n'y a plus un seul habitant de la terre,
de quelque espèce qu'on veuille le supposer, à qui il
devienne possible d'aborder la petite plaine. Or, c'est au
milieu de cette petite plaine si bien entourée, si bien
défendue, que se trouve le château de Durcet. Un mur
de trente pieds de haut l'environne encore; au-delà du
mur, un fossé plein d'eau et très profond défend encore

une dernière enceinte formant une galerie tournante; une poterne basse et étroite pénètre enfin dans une grande cour intérieure autour de laquelle sont bâtis tous les logements. »

Nul doute que le projet exhaustif de répertorier toutes les perversions sexuelles en cent vingt journées, au bout desquelles « il y a eu trente immolés et seize qui s'en retournent à Paris », exige de sérieuses précautions. Mais autant les plus sévères mesures d'isolement paraissent inévitables dans pareil cas, autant l'inquiétante application de Sade à clore hermétiquement le château de Silling, à le couper définitivement du monde sans aucune possibilité de retour, annonce une démarche apparemment aussi étrangère à la logique libertine qu'à toutes les attitudes des innombrables personnages qui vont et viennent alors autour du même château imaginaire.

Sade en fait trop, beaucoup trop. Il ne se contente pas d'évoquer un lieu redoutable dont le propriétaire sait, à chaque moment, apprécier le sombre charme : « Il était chez lui, il était hors de France, dans un pays sûr, au fond d'une forêt inhabitable, dans un réduit de cette forêt que, par les mesures prises, les seuls oiseaux du ciel pouvaient aborder, et il y était dans le fond des entrailles de la terre. » On attendait une construction, on est entraîné dans un vertige de l'enfermement, résultant d'un mécanisme aussi paradoxal qu'implacable : chaque clôture suscite automatiquement la suivante qui établit l'inutilité en même temps que la sûreté de la précédente, et ainsi de suite.

Alors, à voir l'étanchéité des fermetures s'accroître en proportion inverse de leur nécessité, on en vient à penser que pour Sade le sort réservé à la réalité se joue dans le principe même de cette architecture. Inutile de chercher ailleurs pourquoi la lente progression des libertins vers le château de Silling est si impressionnante et comment cette très solennelle avancée semble déterminer ce que seront les cent vingt journées, beaucoup plus que la description minutieuse des lieux prévus pour les ébats et les débats. En fait, c'est la réalité – et non le monde – que les plus libertins des libertins mettent tant de soin à quitter. Ici, il n'y a de clôture que déréalisante. Et comme l'architecture sadienne obéit tout entière à ce mécanisme d'un enfermement sans terme, le processus de déréalisation ne connaît pas de limite. À tel point que ce n'est plus seulement le réel mais le mode de penser le réel – dont la pensée libertine constitue d'ailleurs la plus audacieuse figure – que Sade incite à abandonner sans retour.

Rupture décisive avec son temps et avec toutes les manières de concevoir le temps. Grâce à ce processus de déréalisation, Sade se situe délibérément en deçà. Contrairement à ce qu'on a l'habitude de prétendre, il ne détruit pas un système pour lui en substituer un autre, fût-il négateur. Quant à la méthode, Sade ne vise ni à miner ni à contaminer la réflexion par la sensation et inversement, comme on a voulu le croire. Pas plus d'ailleurs qu'il ne se soucie d'établir une structure textuelle commune à la parole et à la posture, au discours et au crime, au langage et à la pornographie, ainsi que l'a affirmé Barthes. Je sais pour l'heure les vertus universelles de l'écriture, mais c'est tout de même une bien commode façon de neutraliser le désordre criminel ou sexuel que de les bricoler en structure quand l'univers sadien surgit justement de leur absence de structure. Tel est très précisément l'en deçà où se place Sade. Une pensée fait le tour d'elle-même pour mettre à nu le néant qui la fonde, une pensée trouve sa forme à cerner implacablement le néant qui la hante, une pensée discursive en quête de sa souveraineté effectue le plus rigoureux travail poétique, ce vertigineux détour pour aller du rien au rien. Le fait est alors sans précédent. Là commence la violence poétique en même temps qu'une critique sans merci de la pensée libertine.

Ce qui nous ramène encore au château fermé puisque l'assurance libertine dépend fondamentalement de la clôture. D'abord indispensable garantie rationnelle qui protège et limite le champ de l'expérience, la clôture assure, avec l'impunité, la concentration nécessaire sur l'objet érotique. Mais elle figure aussi l'indispensable garde-fou, au moment où le libertinage s'inscrit à la fois comme l'ultime parade et l'ultime audace de la raison devant la sombre mouvance des eaux mêlées de l'organique et du psychique. Clôture de commodité, clôture expérimentale mais surtout clôture de la finitude, c'est-à-dire de la mesure et du nombre. Telle est la redondance rationnelle qui autorise la folle assurance libertine. *Les Cent vingt journées de Sodome* pourraient d'ailleurs en constituer la plus déterminante défense et illustration si Sade ne s'ingéniait pas justement dès le début à aggraver cette assurance en délire.

Alors, douves, remparts, enceintes, murailles, murs, portes qui devaient renforcer cette assurance, en se refermant tour à tour, vont progressivement la détruire jusqu'à anéantir ses fondements. Plus exactement, c'est l'élan même de la pensée libertine qui se trouve empêché, brisé, morcelé par ce système de clôtures-gigognes : à la trajectoire pédagogique, progressive, pour ne pas dire progressiste, de la démarche libertine, voilà que se substituent scènes, épisodes, opérations, figures, postures, comme autant de segments, de moments, d'éclats d'une pensée définitivement en quête d'elle-même. Ce qui n'implique nullement la dispersion mais au contraire une mise en place quasi obsessionnelle de chaque tableau. Puisque la perfection de la moindre figure sert à établir de façon irréfutable le triomphe de la pensée libertine en même temps que son effondrement.

Et là encore, c'est l'architecture qui, telle une armature

de désespoir, décompose l'assurance libertine. De façon très simple, en la réitérant sans cesse, c'est-à-dire en suscitant à l'intérieur d'un espace clos un autre espace clos, et ainsi de suite. Alors le souci libertin de la limite développé à l'extrême révèle subrepticement qu'il n'y a pas de limite. Alors, la nécessité libertine de classification portée à l'obsession dévoile cérémonieusement la folie de l'infini. Alors, la logique libertine exercée jusqu'au syllogisme laisse voir sous le cynisme mathématique ce mélange de naïveté et de désespoir que suppose tout recours au nombre. En ne s'arrêtant pas de reproduire, d'accumuler, d'accoler les signes de séparation, de rupture, de fermeture qui permettent la linéarité du discours rationnel, Sade décrit l'espace de ce qui ne devait pas, ne pouvait pas en avoir, comme s'il faisait apparaître sous le langage la texture organique de l'imaginaire. Car, à l'inverse de la trajectoire libertine qui décrit un lieu fermé et l'explore pour en prendre possession, la pensée de Sade se développe en structure cellulaire qui, par lents tourbillons, dévoie la clôture vers la prolifération, la possession vers le manque, le nombre vers le vide. Le cérémonial de Sade est tout entier dans ce jeu tragique où l'indifférent devient à son insu fanatique, serait-ce fanatique de l'indifférence.

Rien de moins négateur pourtant que ce théâtre intérieur où la circularité de la démarche dévoile son unité contradictoire. Rien de moins conquérant aussi que cette découverte d'un espace s'ouvrant au cœur de ce qui est. Mouvement tournant qui prend à revers toutes les stratégies de la raison, la pensée de Sade réussit le tour et le détour de force de se mettre en image, en volume, en scène. Soudain le monde tourne autour d'un regard, alors même que ce regard interroge l'horizon pour y trouver sa propre orbite. De la connaissance de ce double mouvement dépend celle des constellations mentales. Telle est l'opération capitale du cérémonial sadien se confondant avec une véritable révolution de la représentation.

Là commence la violence poétique en même temps qu'une critique sans merci de la pensée libertine.

Révolution de la représentation? N'est-ce pas trop s'avancer quand, dans ce château si bien fermé, la combinatoire sadienne semble là encore régie par le principe de saturation qui induit la pensée libertine? Chez Sade, en effet, la scène suppose non seulement l'emploi total et simultané de tous les acteurs mais encore « qu'en chaque sujet, tous les lieux du corps soient érotiquement saturés [6] », comme l'a remarqué Roland Barthes. Ce qui n'autorise pourtant nullement à conclure avec lui que « la syntaxe sadienne est ainsi recherche de la figure totale [7] ». Au contraire même, sinon l'aventure de Sade ne serait qu'une variation perfectionniste et perfectionnée de la pensée libertine. Il n'en est rien.

Saturation des corps, occupation des lieux de plaisirs, la pensée libertine vise autant, sinon plus, à la maîtrise qu'à la connaissance. À cet égard, elle participe de l'optimisme conquérant des Lumières. Elle constitue une façon, et non des moindres, d'avoir prise sur le monde; et dans l'immense désir de conquête qui s'empare du XVIIIᵉ siècle, elle s'impose avant tout comme une stratégie. C'est pourquoi il n'y a pas alors de récit érotique qui ne soit pédagogique et de réflexion libertine qui ne soit progressive. On va du simple au composé, de la virginité au groupe érotique, et c'est vers un point de saturation idéal, triomphe du nombre et de la possession, de la mesure et de l'avoir, de l'objet et de l'objectivité, que tend la pensée libertine. Or, cette fin, ce but ultime du libertinage, c'est justement le point de départ de Sade.

Ainsi, quand Sade parle de « disposer le groupe », d'« arranger un tableau », de « composer une scène », il dit et redit que sa mise en scène commence à partir de la saturation. Et il n'est pas de tableau qui ne soit pour lui prétexte à réitérer ce principe de saturation des corps et des figures et à veiller à son application rigoureuse.

Mieux, cette saturation semble posée d'emblée comme la condition préalable de l'aventure sadienne, alors que l'effort libertin consiste à y parvenir progressivement et rationnellement.

En réalité, il en va de la saturation comme de la fermeture : de même que Sade construit des séries de murs protecteurs jusqu'à un emmurement infini à l'intérieur de l'espace de la souveraineté, de même il ne cesse de rendre immédiat l'idéal libertin pour laisser lentement apparaître l'impossibilité de cette maîtrise de la « figure totale » que Barthes suppose, à tort, déterminante de l'univers sadien. Et ce faisant, Sade révèle la nature syllogistique d'un système d'équivalences (saturation-satisfaction-bonheur, fermeture-assurance-maîtrise) où viennent tourner en rond les certitudes de son époque.

Seulement l'extraordinaire, c'est que Sade y réussit, non par une opération logique mais par une opération poétique, trouvant son énergie déflagratoire dans le rapprochement des deux réalités distantes que sont la philosophie et la pornographie. J'irais même jusqu'à prétendre qu'il s'agit là d'une *abstraction poétique* qui, en son principe, ne diffère pas radicalement d'une image poétique comme par exemple le « canard du doute aux lèvres de vermouth » de Lautréamont, puisque dans un cas comme dans l'autre la déflagration se produit par suite de la présence d'une *réalité en trop*. À ceci près que Sade est le premier et le seul à avoir systématiquement provoqué le surgissement de cette réalité en trop à tous les niveaux de sa pensée. Et en ce sens, l'univers sadien serait la plus gigantesque machine poétique construite jusqu'à ce jour.

Mais la philosophie et la pornographie sont-elles vraiment deux réalités distantes? L'ambition libertine ne vise-t-elle pas justement à la réconciliation de ces deux aspects de l'activité humaine? Mieux, ne cherche-t-elle pas à les organiser dans un univers cohérent, la philosophie prêtant

70

son discours et ses lois au monde du corps qui jusqu'alors n'en aurait pas eu? Avec pour ultime but de resserrer le champ philosophique afin d'enserrer une fois pour toutes l'objet érotique dans un ordre. D'où ce rigoureux parallélisme, caractéristique de la réflexion libertine, entre une activité philosophique dessinant une dynamique de la fermeture et une pratique érotique trouvant à se satisfaire dans une dynamique de la saturation. Or, Sade ne se contente pas de dénier l'une et l'autre de ces démarches, en les laissant se prendre à leur propre vertige. Il dévoile leur irrémédiable incompatibilité, uniquement occupé de faire voir et revoir comment le discours philosophique n'a d'autre fin que d'exclure la réalité pornographique et comment la moindre évocation pornographique n'a d'autre résultat que de nier la possibilité d'un discours. Incompatibilité qui ne serait pas forcément essentielle mais seulement fonctionnelle, pour la simple raison que deux réalités différentes ne peuvent rendre rationnellement compte d'un même objet. Là réside le génie de Sade d'avoir si précisément su déterminer l'origine de la subversion poétique et d'y avoir reconnu aussitôt la source d'énergie inaltérable de sa pensée, de la pensée. Car c'est le monde tout entier qui est dès lors susceptible de vaciller sous l'éclair poétique.

Réalité sensible, réalité érotique, réalité théorique, peu importe, c'est leur rencontre qui est dangereuse, puisque l'ordre du discours veut qu'une réalité chasse l'autre. Impossible qu'une impression, une idée, une situation, prétende dans un même énoncé à deux ou plusieurs réalités. Il est même inconcevable que le moindre objet court deux réalités à la fois. C'est une question d'ordre, il suffit qu'on l'enfreigne pour que commence la liberté poétique. Étrange qu'on n'ait jamais vraiment insisté sur l'importance de cette *réalité en trop* dans le processus poétique. Car le rapprochement de deux réalités distantes ne suffit pas pour qu'il y ait image poétique. C'est leur brutale superposition, leur imprévisible concentration sur

71

un même objet qui, en faisant outrage à l'ordre des choses, en démantelant l'ordre de la représentation, dévoile violemment l'infini de l'espace imaginaire. Aussi, de même que le « canard » et le « doute » doivent s'exclure pour laisser place à l'extrême confusion des « lèvres » et du « vermouth », autre forme d'exclusion réciproque, de même chez Sade la philosophie et la pornographie vont s'anéantir réciproquement dans le tourbillon de leur obscur objet commun.

Ce trop de réalité, voilà où la poésie détruit la fonction utilitaire du langage. À quoi sert en effet la belle allure d'un tableau libertin, s'il suffit de deux ou trois termes crus pour en figurer, comme par effraction, la dimension pornographique? J'ai déjà parlé d'effraction, effraction par excès de réalité qui déborde autour d'un même objet. L'objet en sort indemne mais pas le système de représentation qui le retenait, le maintenait, le figeait dans la cohérence de ses mailles. Soudain, il y a un trou, un vide, un appel de vide vers lequel l'objet file à toute vitesse, s'engouffrant à l'intérieur de ses multiples réalités, ouvrant les galeries de ses perspectives imaginaires. La modernité commence avec ce forage du réel. À partir de là, la réalité va continuellement disparaître derrière son double. Question d'excès, la conquête de l'imaginaire en dépend.

C'est à travers ce redoublement, ce luxe de réalités, où naît et meurt l'image, que le langage retrouve avec les brillances de la liberté sa valeur essentiellement transitoire. Et il n'est pas indifférent que ce jeu de miroirs renvoie très exactement au modèle architectural façonné par Sade comme à son mode d'occupation de l'espace érotique : trop de clôtures pour ne pas s'échapper vers l'intérieur, trop de jouissances pour ne pas commencer à les penser, trop de réalité pour ne pas chavirer dans l'imaginaire. La poésie est liée à l'excès, à l'excès qui n'en finit jamais de retourner vers lui-même entre le trop et le peu de réalité : la poésie est l'excès contradictoire. Et c'est ce que Sade découvre au cœur de l'homme. Il y voit même le seul moyen de se soustraire à ce qui aliène la pensée occidentale à elle-même, à cette frontière endémique que celle-ci porte en elle, qu'il s'agisse de la linéarité du temps, du discours, de la logique, de la finalité. Ainsi, à avoir l'audace de mettre inlassablement en scène ce qui le déchire, l'écartèle, l'anéantit, à avoir l'audace d'en choisir précisément la forme la plus radicale dans l'impossibilité de faire coïncider réflexion et sensation, à avoir l'audace d'en accumuler fiévreusement les signes d'incompatibilité, Sade fait apparaître dans cette profondeur du désespoir l'espace unique de leur hallucinante vérité imaginaire. Rien d'étonnant à cela : à la faveur de son insurmontable distance, l'exil dévoile les plus saisissantes perspectives. C'est même la seule occasion de voir comment se superposent les réalités contradictoires d'un objet pour engendrer son espace imaginaire. La tension poétique est tout entière dans ces contradictions maintenues, distance gardée mais du même coup distance gagnée. Il s'agit là d'un dangereux jeu optique dont l'intensité dépend de l'ampleur des contradictions mises en scène. À Sade revient l'incomparable mérite de l'avoir voulu d'emblée à la démesure de la pensée, quand c'est à partir de l'écartèlement de la réflexion et de la sensation qu'il nous invite à voir l'imaginaire s'ouvrir en abîme.

Je sais qu'on n'a pas fini de discourir après Barthes sur la contamination réciproque de l'érotique et de la rhétorique, de la parole et du crime qui caractériserait l'écriture de Sade. Seulement, cette contamination n'a pas lieu et la violence métonymique que Sade pratique couramment en émaillant le langage le plus convenu de termes plus ou moins orduriers, évoque plus une annulation qu'une contamination. Écoutons une des historiennes des *Cent vingt journées de Sodome* raconter un des épisodes de sa vie : « ...son vit était très long, assez gros et son cul aussi doux, aussi potelé, aussi joliment formé, que celui de l'Amour lui-même. – Écartâtes-vous ses fesses ? dit l'évêque, fîtes-vous voir le trou à l'examinateur ? – Oui, monseigneur, dit Duclos, il fit voir le mien, j'offris le sien, il le présentait le plus lubriquement du monde ». Rien de plus choquant mais aussi rien de moins choquant, pour la raison que l'affrontement de la réalité pornographique et de la réalité rhétorique suscite un processus de déréalisation réciproque au bout duquel il ne reste rien que l'espace imaginaire où il s'est produit.

Annulation miroitante de l'objet, de la scène, de l'image, pris dans le feu de leurs reflets incompatibles. Annulation flamboyante de l'objet pris entre le silence de sa présence obscène et le discours servant à conjurer l'obscénité de ce silence. C'est là que Sade attente à l'ordre des choses en instaurant ainsi, pour seul principe, à travers cette annulation, l'infinie réversibilité du dit et du non-dit, de la mesure et de la démesure, de la raison et de la déraison.

Nous voilà bien loin des mérites respectifs de la philosophie et de la pornographie et de leur contamination textuelle, comme on n'a cessé de nous le seriner au cours des dernières années. Car cette réversibilité qui fomente la pensée sadienne à tous les niveaux – de la phrase, de l'image, du récit, du rythme – attente à la linéarité du discours à chaque moment pour laisser voir l'abîme que celui-ci sert à masquer. Abîme que seule l'imagination, et non l'écriture, peut explorer. Lapsus révélateur ou formidable naïveté de la prétention critique, Barthes n'hésite pas à affirmer toujours dans le même texte : « on dirait presque qu'*imagination* est le mot sadien pour *langage* ». Qu'ajouter à cela ? Si ce n'est qu'en faisant du corps, de l'organique, de ce qui résiste à l'esprit, le plus fabuleux objet imaginaire, Sade métamorphose l'objectivité du corps et l'objectivité du discours en *irréalité concrète*. Telle est la condition du merveilleux : faire se consumer l'objet sous son trop de réalité pour qu'il apparaisse dans la splendeur de son irréalité.

Or, c'est l'homme tout entier, pris comme jamais encore au piège du réel, dont Sade va inventer l'irréalité pour ultime échappatoire. Et par là, Sade offre clandestinement au XVIIIe siècle le conte de fées que celui-ci n'avait pas eu l'audace de rêver, celui où ce n'est rien moins que l'esprit humain jouant sa première et sa dernière chance de penser l'impensable, de concevoir ce qui le fonde en même temps que ce qui le nie.

Acte poétique sans précédent, au cours duquel va sombrer l'idée même de représentation. Car ce château que la pensée libertine ne cherche qu'à remplir d'expériences, de certitudes, cette forteresse que la protestation sociale ne cherche qu'à remplir d'ignominies pour justifier sa véhémence, cette ruine que le courant sentimental ne cherche qu'à remplir d'émotions, Sade le vide. Mais avec pour précaution initiale une magnificence d'idées, d'objets, de corps, comme pour rendre plus bouleversante cette annulation lyrique. Tel serait aujourd'hui encore l'unique luxe de la pensée, cette conquête du vide en deçà des épargnes idéologiques, esthétiques ou psychologiques.

Il n'est pas indifférent que Sade l'ait entreprise en même temps sur tous les plans, social, linguistique, philosophique, physiologique, jusqu'à en tester inconsciemment l'efficacité au nœud même de la représentation, en jouant toutes les ruses et les naïvetés du tableau vivant. Comme si là encore, Sade prenait pour point de départ non pas le rêve libertin, mais l'image du rêve libertin : la totalité du monde érotique enfin saisie dans son ordre, chaque sexe à sa place, chaque sujet occupé, chaque corps saturé. D'autant plus que le soin jaloux de

Sade à organiser les scènes, à régler les attitudes, c'est-à-dire, à capter la vie sous tous les masques de l'objectivité, personne ne l'a poussé à un plus extrême degré. Jusqu'à proposer une véritable science du costume qui sert non seulement à classer les individus mais aussi à découper les corps selon des fonctions précises : « On régla dans la même matinée que les quatre jeunes amants que l'on venait de choisir auraient pour vêtements ordinaires, toutes les fois qu'ils ne seraient pas obligés à leur costume de caractère, comme dans les quadrilles, auraient, dis-je, l'habit et l'ajustement que je vais décrire. C'était une espèce de petit surtout étroit, leste, dégagé comme un uniforme prussien, mais infiniment plus court et n'allant guère qu'au milieu des cuisses ; ce petit surtout, agrafé à la poitrine et aux basques comme tous les uniformes, devait être de satin rose doublé de taffetas blanc, les revers et les parements étaient de satin blanc et, dessous, était une espèce de veste courte ou gilet, également de satin blanc et la culotte de même ; mais cette culotte était ouverte en cœur par-derrière, depuis la ceinture, de façon qu'en passant la main par cette fente on prenait le cul sans la moindre difficulté ; un gros nœud de ruban la refermait seul, et lorsqu'on voulait avoir l'enfant tout à fait nu en cette partie, on ne faisait que lâcher le nœud, lequel était de la couleur choisie par l'ami auquel appartenait le pucelage. » Et c'est alors qu'à trop vouloir soumettre la vie à travers la fixité de l'objet, Sade fait la terrible découverte que tout peut devenir objet. Une nouvelle fois ce qui devait être l'assurance de la maîtrise conduit au vertige. S'avise-t-on de saisir la vie sous le règne de l'objet, que c'est l'objet qui commence à vivre et à faire vivre le tableau vivant de toute sa puissance imaginaire.

Ainsi du cri, de ce désespoir de la parole, de cette syncope de la représentation, Sade trouve le moyen d'en faire un objet comme en témoigne le casque porté par la très douce Madame de Verneuil : « Comme on savait que les voluptés de Verneuil ne devaient s'allumer qu'aux cris qu'il allait entendre pousser à sa femme, on avait affublé son crâne d'un casque à tuyau, organisé de manière que les cris que lui faisaient jeter les douleurs dont on l'accablait ressemblaient aux mugissements d'un bœuf. » On a déjà tout oublié de Madame de Verneuil, « femme pâle, mélancolique et distinguée », défigurée par cet accessoire, quand c'est au contraire le casque à tuyau, affublé du corps de Madame de Verneuil comme d'un attribut obscène, qui parvient à se faire, jusqu'à l'horreur, aussi gros que le bœuf. Juste retour des choses, le simulacre de la vie se laisse doubler et redoubler par la vie du simulacre. Comme si sous l'aplat de la représentation pouvait toujours s'ouvrir une insondable chambre d'échos. Comme si le point de fuite du tableau vivant pouvait toujours se faire mobile pour décrire l'espace d'une fuite effective. Comme s'il suffisait de faire vivre le tableau vivant pour qu'il meure en tant que tableau et naisse sur la scène mentale.

À partir de là, tout change. Pour la première fois, l'objet échappe à la tyrannie successive de ses multiples réalités, les prenant en enfilade comme autant de contours d'où il se retire. Mais du même coup, l'homme échappe alors à la tyrannie de l'objet pour découvrir que son bonheur est dans son imagination. Construit pour donner corps à l'idée, le tableau, dès qu'il fonctionne, se défait pour offrir aux paysages du corps leur perspective imaginaire. Il s'ensuit que chez Sade les têtes s'échauffent toujours avant les corps. Non par suite d'une quelconque hiérarchie mais au contraire par suite d'un double détour et retour de l'idée au corps et du corps à l'idée, engendrant cette ivresse de la réversibilité qui anéantit toute réalité et rend vaine toute représentation. Car ce que découvre et recouvre la jouissance de tête, c'est l'imaginaire du corps : « Pour moi, j'avoue que mon imagination a toujours été sur cela au-delà de mes moyens ; j'ai toujours mille fois plus conçu que je n'ai fait et je me suis toujours plaint de la nature qui, en me donnant le désir de l'outrager, m'en ôtait toujours les moyens. – Il n'y a que deux ou trois crimes à faire dans le monde, dit Curval, et, ceux-là faits, tout est dit; le reste est inférieur et l'on ne sent plus rien. Combien de fois, sacredieu, n'ai-je pas désiré qu'on pût attaquer le soleil, en priver l'univers, ou s'en servir pour embraser le monde? Ce serait des crimes cela, et non pas les petits écarts où nous nous livrons, qui se bornent à métamorphoser au bout de l'an une douzaine de créatures en mottes de terre. » Voilà bien la seule lumière au siècle des Lumières qui ne dispense pas son éclat, mais l'arrache aux êtres et aux choses en les consumant totalement. « Mes passions, concentrées sur un point unique, ressemblent aux rayons de l'astre réunis par un verre ardent : elles brûlent aussitôt l'objet qui se trouve sur le foyer », avoue Saint-Fond à Juliette. Telle pourrait être la loi de la jouissance de tête qui vide l'univers sadien. Mais telle pourrait être aussi une des plus précises définitions de l'image poétique.

En fait, pour Sade, il n'y a pas de figure, de scène, de séance, qui ne finisse par mettre à l'épreuve l'efficacité poétique de ce chiasme métaphysique où la mise à mort du tableau vivant correspond à la mise en corps de l'idée pour allumer à ce jeu de miroirs le feu des passions imaginaires. Il ne s'agit pas de contamination mais d'une transmutation dont il ne reste rien si ce n'est le spectacle de sa somptueuse inutilité. Comme si le tableau vivant s'était trouvé vidé par implosion. Comme si la jouissance de tête se confondait avec la jouissance du vide. Comme si Sade, manipulant comme personne encore les images du corps, était l'inventeur du vide.

Ce ne serait d'ailleurs pas le moindre paradoxe de l'aventure sadienne, à l'aube de la révolution industrielle, de l'ère de la production, que d'avoir conçu une architecture de vide, que d'avoir ouvert un lieu de la dépense à fonds perdus, que d'avoir délimité un espace sans fond, tel un centre de gravité en trompe-l'œil, tel un piège de gravité, où viennent s'effondrer tous les systèmes. Ainsi, au moment où la volonté commune semble se manifester dans la nécessité nouvelle, non plus seulement d'imiter la nature mais de créer un monde rationnel, non plus seulement de reproduire mais de produire, Sade joue son existence à mettre en place une prestigieuse machine qui n'imite ni ne crée, qui ne reproduit ni ne produit, mais qui n'en fonctionne pas moins à un régime intensif.

Alors, pourquoi faire? Uniquement pour voir, pour voir ce qu'on ne peut pas voir, ce qu'on ne veut pas voir. Nous voilà bien devant le premier « observatoire du ciel intérieur » sciemment et patiemment construit. Car il s'agit là de la plus formidable machine optique inventée jusqu'à ce jour pour fixer dans le passage de la reproduction à la production le moment précis où le double risque d'être anéanti sous la pression de la série. Machine hautement spécialisée mais qui nous concerne tous. Ce sont les ombres de notre identité qui passent et repassent. Et ce jeu de miroirs fixe, suspend, amplifie tant et si bien cet instant que ce sont des hordes de doubles qui reviennent déferler sur l'objet jusqu'à le soustraire définitivement à toute fonction. Multiple, le double est et reste ici unique, telle est la clé de voûte de l'architecture sadienne et le secret de ses perspectives infinies. Jamais le nombre n'y altère le questionnement sur les apparences, mais au contraire sert à le répercuter au plus intime de l'être. Le questionnement n'a pas plus de fin que l'espace n'a de fond. Et la répétitivité obsédante de l'univers de Sade n'est que cette interrogation en ricochet, qui, faisant tournoyer les certitudes, laisse voir l'insondable vérité de l'illusion. L'obstruction de Sade à l'assurance des Lumières va alors jusqu'au refus de s'assurer les puissances du nombre : il les laisse libres, sans aucune utilité, sans aucun point d'application, libres de dévoyer le réel et c'est à partir de cet imaginaire numérique qu'il trouve l'audace de bâtir sur le terrain de la production le château de l'illusion.

Château fermé pour empêcher l'absorption des apparences dans une réalité fonctionnelle, château de proie pour ramener toute réalité dans la jungle des apparences et l'arracher à la loi de la valeur. La déréalisation va de pair avec la dévalorisation. Ce que Sade préserve là, c'est moins l'unique contre le nombre que la liberté imprescriptible du regard. Machine inactuelle, machine à fabriquer l'inactualité, ce jeu optique retire les êtres et les choses de la circulation des biens pour les confronter au néant au bord duquel tourne la ronde de leurs apparences. La violence poétique est aussi dans ce coup de théâtre dont l'incidence historique est considérable puisque cette machine optique en décuplant l'interrogation sur le double et l'apparence creuse à l'infini la notion d'objectivité, au moment même où l'on s'en remet fiévreusement à l'objet et à ses lois quantitatives pour remplir un monde soudain vide de Dieu.

Quelque chose commence et finit dans le château de Sade. Ce qui finit, c'est l'assujettissement de l'objet à l'idée, mais en même temps l'asservissement de l'imaginaire à l'ordre du monde. Ce qui commence, c'est une suspicion infinie des apparences et à travers le plus dangereux jeu de miroirs la rencontre de la couleur noire.

Comme si Sade, manipulant comme personne encore les images du corps, était l'inventeur du vide.

Gravure pour l'*Histoire de Juliette,* du marquis de Sade, en Hollande, 1797-1835.

DEUXIÈME PARTIE

« Toutes les couleurs disparaissent dans la nuit, et le désespoir ne tient pas de journal. »

Charles Robert Maturin

Le mardi 3 juin 1980, ouvrant la télévision par hasard, j'entends Vladimir Boukovsky dire ceci :

« Instruit par l'expérience, j'essayais d'emporter dans le mitard une mine de crayon que je calais habituellement dans ma joue. Quand j'y parvenais, alors je passais tout mon temps de cachot à dessiner des châteaux forts sur des bouts de journaux ou simplement sur le sol, sur les murs... Je ne traçais pas seulement une vue d'ensemble. Je m'étais donné pour tâche de construire l'édifice en entier, depuis les fondations, les sols, les murs, les escaliers en colimaçon et les passages secrets jusqu'aux toits pointus et aux tourelles. Je taillais chaque pierre, je posais avec soin les dalles ou les lattes de plancher, je meublais les salles, j'accrochais les tapisseries et les tableaux. J'allumais les bougies des chandeliers et les torches, qui fleuraient la résine et fumaient doucement, dans les corridors sans fin... Je dressais les tables et je conviais des hôtes. J'écoutais de la musique avec eux, je buvais du vin dans des coupes anciennes. J'allumais, ensuite, ma pipe, tout en prenant une tasse de café. Nous montions l'escalier, passions de salle en salle; de la terrasse, nous contemplions le lac; nous allions aux écuries voir les chevaux; nous nous promenions dans le jardin qu'il avait fallu aussi dessiner et planter des espèces les plus variées. Nous regagnions la bibliothèque par l'escalier extérieur et là, après avoir fait du feu dans la cheminée, je m'installais dans un fauteuil bien rembourré, profond. Je feuilletais des livres anciens, aux reliures de cuir usées et aux lourds fermoirs de cuivre. Je savais même ce qui était écrit dans ces livres. Je pouvais les lire...

« Ce passe-temps suffit à occuper un de mes séjours au cachot et encore restait-il bien des questions à régler jusqu'à la prochaine fois. Il arrivait, en effet, que plusieurs jours fussent nécessaires pour décider quel tableau il convenait d'accrocher dans le salon, quelles armoires il fallait mettre dans la bibliothèque, quelle table dans la salle à manger. Maintenant encore, je peux le dessiner, les yeux fermés, ce château, dans le détail. Un jour ou l'autre, je le trouverai... à moins que je ne le construise.

« Oui, un jour ou l'autre, j'inviterai mes amis et nous franchirons ensemble le pont-levis qui enjambe les douves, nous pénétrerons dans ces salles, nous nous attablerons. Les chandelles seront allumées et la musique retentira, tandis que le soleil se couchera sereinement sur le lac. J'ai vécu dans ce château des centaines d'années et j'ai taillé chaque pierre de mes mains. Je l'ai construit alors que j'étais au régime de la prévention, à la prison de Vladimir. Il m'a sauvé de l'indifférence, de cette douleur sourde de l'indifférence envers tout ce qui vit. Il m'a sauvé la vie. Parce que l'on ne peut pas devenir muet, parce que l'on n'a pas le droit d'être indifférent. Parce que c'est précisément à ce moment-là que l'on vous éprouve à la dent. Ce n'est que dans le sport que vos juges et vos adversaires vous permettent d'acquérir votre meilleure forme et, ces records-là, ils ne valent pas un sou. En fait, c'est quand vous êtes malade, quand vous êtes fatigué, quand vous auriez le plus besoin de souffler que l'on cherche à vous imposer la plus lourde épreuve. C'est alors que l'on vous prend et que l'on tente de vous briser, comme un bâton, contre le genou. Et c'est à ce moment-là précisément que le " parrain ", ce pêcheur d'âmes, ou que l'éducateur, désireux d'avoir un entretien avec vous, vous tirent, tout hébété, d'une cave.

« Oh non, ils ne vont pas directement, comme cela, en face, vous proposer une collaboration. Pour le moment, il ne leur en faut pas tant : il suffira de quelques petites concessions. Ils veulent vous y habituer, aux concessions ; à l'idée qu'il faut faire des compromis. Ils vous tâtent avec soin pour voir si vous êtes mûr ou non. Non ? Alors, retournez dans votre cave pour y mûrir un peu. Eux, ils ont des siècles devant eux...

« Sottes gens ! Ils ne savaient pas que je retournais chez mes amis, que je reprenais nos causeries interrompues, au coin du feu. Et comment auraient-ils pu savoir que, lorsque je leur parlais de haut, c'est que je me tenais sur le mur de mon château, plus soucieux de l'aménagement de mes écuries que de leurs stupides questions ? Que peuvent-ils contre les murailles épaisses, les tours crénelées et les meurtrières ? Après m'être bien diverti d'eux, j'allais rejoindre mes hôtes, en fermant avec soin derrière moi la massive porte de chêne...

« C'est précisément au moment où tout vous est devenu indifférent, où vous n'êtes plus conscient de rien, où votre seul tourment est de compter mélancoliquement les jours que, dans le cachot d'à côté, quelqu'un se trouve mal, s'évanouit et tombe. Alors, il vous faut cogner dans la porte, faire du vacarme et appeler le médecin. Et, pour avoir frappé à la porte et avoir mené tout ce tapage, le citoyen-chef furibond prolongera votre temps de mitard. Donc, taisez-vous, cachez-vous la tête dans les genoux, dites-vous que vous dormiez et que vous n'avez rien entendu. Est-ce que cela vous regarde ? Vous ne connaissez pas ce voisin, il ne vous connaît pas, vous ne vous rencontrerez jamais. De fait, vous auriez pu ne pas entendre... Mais un châtelain peut-il se permettre d'agir ainsi ?

« J'abandonne mon livre, je prends une chandelle et je vais au portail pour faire entrer dans le château le voyageur que les intempéries ont surpris. Peu importe qui il est. Même si c'est un brigand, il doit se réchauffer près de l'âtre, passer la nuit sous un toit. Que la tempête se déchaîne donc au-delà des portes du château, elle n'arrachera pas le toit, elle ne transpercera pas l'épaisse muraille, elle n'éteindra pas mon foyer. Que peut-elle, la tempête ? Elle ne peut que hurler et sangloter dans ma cheminée... »

À cette bouleversante description, figurant dans le livre de Boukovsky, ... *Et le vent reprend ses tours* [8], s'ajoute une photographie : ce château, Boukovsky l'a modelé. Et il faut voir cette construction de ténèbres brutes, surgie par la folle volonté d'un regard. D'un regard qui invente son dernier recours et le figure noir sur noir.

Sur le moment, au-delà de la stupeur à écouter Boukovsky établir tranquillement la puissance de l'imaginaire, dire peut-être comme personne encore de quel talisman il s'agit là, j'ai commencé à avoir la certitude que sous le glacis de l'histoire, des mondes s'ouvraient, émergeaient, sombraient, le long de lignes de force sensibles que ne peut infléchir le poids des choses. Ce château, qu'intuitivement j'avais toujours tenu pour un des très rares lieux où se terre la liberté quand elle est la plus menacée, j'avais soudain la preuve poignante que ce n'était pas une vue de l'esprit, que ce n'était pas une catégorie esthétique, et encore moins une structure réductible à ses implications psychologiques, voire psychanalytiques, comme l'avaient prétendu jusqu'alors ceux qui avaient pris la peine de s'en occuper. Tout récemment, là, ici, maintenant, ce château venait de fonctionner comme une machinerie de liberté, et ce, dans les pires conditions. Un improbable rapport entre Sade, Breton et Boukovsky se dessinait à l'intérieur d'une même architecture. Mais pourquoi le château ? Y aurait-il des formes privilégiées ? Comment une forme devient-elle un objet imaginaire ? Qu'est-ce qu'un objet imaginaire ?

...il faut voir cette construction de ténèbres brutes, surgie par la folle volonté d'un regard.

« Durant sa détention, Boukovsky modela le château dont il rêvait en prison... »

...Et le vent reprend ses tours, éd. Robert Laffont, Paris, 1978.

L'interrogation du paysage

Il me faut bien commencer par parler d'un objet qui n'existe pas car, même si le goût pour le Moyen Âge s'empare des esprits dès 1720, ce n'est là qu'un des aspects, innombrables, d'une dispersion sensible qui s'accélère avec les années pour emporter dans un même tourbillon final les passions et les modes du XVIIIᵉ siècle. Le fait est qu'avant 1764 – date de la parution du *Château d'Otrante* d'Horace Walpole – on ne voit pas vraiment le château qui nous occupe. Pourtant, on ne l'en cherche pas moins au cours d'une interrogation du paysage dont l'ampleur et l'intensité permettent d'en mesurer l'enjeu.

Aussi, laisserai-je à d'autres le soin de retrouver *a posteriori* les raisons possibles, logiques, probables de la redécouverte du gothique. Raisons d'ailleurs si objectives qu'elles peuvent indifféremment justifier l'un après l'autre tous les engouements d'alors. Et ce n'est pas la tentative d'explication d'Alice Killen concernant cette « nouvelle école de fiction, bizarre incursion dans le domaine de la terreur et du merveilleux, auquel on donna le titre de roman *gothique* ou roman *terrifiant* [9] », qui nous dissuaderait de penser que la lapalissade, naïve ou prétentieuse (peu importe, le résultat est le même), s'avère être le moteur d'une critique complètement démunie devant n'importe quel phénomène poétique. Non, un esprit

91

aussi indépendant que Horace Walpole n'a pas laissé la passion gothique emporter vingt ans de sa vie parce que « fatigués de la correction froide qui avait dominé les Âges " classiques ", les esprits commençaient en Angleterre, dès le second quart du XVIIIᵉ siècle, à se tourner vers un retour à la nature et à la sensibilité [10] », comme le dit encore Alice Killen. Tout est quand même un peu moins simple. Les objets imaginaires surgissent faute de discours. C'est avec fièvre que le XVIIIᵉ siècle a assisté à cette spectaculaire insoumission de la forme.

Siècle des Lumières mais aussi siècle de l'Illuminisme, siècle de l'apparence et de l'éclair, siècle de la lucidité et des éblouissements, jamais encore la réalité n'a été tant regardée dans le scintillement de ses reflets. Et si la lumière est là avec tous ses prestiges, il n'y manque aucun de ses pièges. Rien de moins fascinant et rien de moins clair que ce jeu de miroirs infini. L'ombre semble avoir disparu sous la brillance des plus lumineux tableaux. Mais quelle réalité pourrait ne pas sombrer, brusquement saisie dans le tourbillon de ses propres images ?

À commencer justement par le lieu où l'homme cherche depuis toujours à donner réalité à ses désirs : je veux parler de la demeure qui devient avec le XVIIIᵉ siècle le théâtre même de cette incertitude essentielle de la lumière. Ce lieu édifié pour conjurer le temps, le hasard, les éléments qui s'opposent à la volonté humaine, ce centre de la vie que pendant des siècles rien n'avait pu mettre en doute, voilà que la lumière, l'excessive lumière du XVIIIᵉ siècle le fait soudain vaciller. Tout vient concourir à cette éblouissante dérive : volutes et entrelacs des lambris, scintillements de la soie, éclats des cristaux et des diamants, bouillonnés du costume, ruses de la dentelle et du fard, autant de façons d'égarer.

On a tout dit de la sophistication triomphante de la

demeure de ce temps où le caprice des lignes et des formes célèbre à l'infini la victoire de l'homme sur son environnement et son devenir. Mais peut-être n'a-t-on pas assez insisté sur l'amertume de cette victoire qui se réduit en fin de compte pour le maître de tels lieux à reconnaître inlassablement dans l'ensemble ou le détail du décor le reflet de sa propre image? Peu à peu, une ombre s'infiltre entre la vie et sa représentation. Et l'art de Watteau est tout entier d'avoir su discerner le jeu de cette ombre dans les lumières heureuses de la fête. D'où l'inquiétante douceur de ses atmosphères : en regard de celles de Boucher, Tiepolo, Pater ou Fragonard, la lumière y est filtrée, mais filtrée de l'intérieur du tableau. À cette diffraction de la luminosité correspond la distraction des personnages de Watteau : ils sont presque ailleurs, sur le point de déserter en silence le miroitement ininterrompu d'une époque qui finit par emprisonner l'existence dans la ronde de ses reflets.

À cet égard, la peinture de Watteau n'évoque nullement comme on a voulu le croire la fin d'une époque, les derniers instants d'un bonheur crépusculaire. Au contraire, le regard absent de chacun de ses personnages annonce l'espace interrogatif qui commence à se creuser entre la vie et sa représentation. À l'esthétique fugitive du rococo, se substitue là une recherche passionnée des instants intermédiaires, instants qui ne renvoient qu'à eux-mêmes et non plus à leur signification spectaculaire. Désormais gestes inachevés, conversations suspendues, regards sans objet apparent, révèlent un trouble dans le spectacle de la vie. Ou encore que la vie ne cesse d'échapper au spectacle éblouissant avec lequel on avait cru pouvoir la confondre. Tous les tableaux de Watteau semblent situés à côté d'une scène centrale dont ses personnages qui en étaient les acteurs implicites viennent juste de se détourner. C'est là le commencement d'une découverte en même temps que d'un cheminement qui va bouleverser le siècle : de scintillement en éblouissement, de miroitement en étincellement, il apparaît que la lumière aveugle, entraînant les plus lucides vers le centre ténébreux de leur regard. Imperceptiblement, le paysage change. On s'aperçoit que son centre de gravité est en train de sombrer. Et rien dans l'activité sans fin à laquelle s'est voué ce siècle qui dans un même élan explore la nature et le plaisir, découvre les lois physiques et les lois économiques, invente les systèmes optiques comme les systèmes politiques, rien ne peut conjurer cet affleurement progressif de la couleur noire au cœur de la vie.

D'autres se sont déjà plu à répertorier impressions, sentiments, idées, porteurs du mal de vivre qui s'amorce avec la deuxième moitié du xviiie siècle; aussi, ne rappellerai-je pour ma part que ce qui, sans doute possible, fait virer le tableau au noir. Point besoin de beaucoup chercher d'ailleurs. Il suffit de lire même distraitement les innombrables mémoires, journaux, correspondances qui viennent en horde de nuages menaçants plomber l'horizon. Ainsi, pour Jacobi, en 1779, seule une catastrophe naturelle pourrait mettre fin au malaise d'un monde désormais incapable de s'intéresser à lui-même : « L'état actuel de la société ne me présente que l'aspect d'une mer morte et stagnante et voilà pourquoi je désirerais une inondation quelconque, fût-elle des Barbares, pour balayer ces marais infects et découvrir la terre vierge. » En attendant, « les exemples de suicides, exécutés avec une présence d'esprit étonnante, ont été peu rares depuis quelques années... », lit-on encore dans la *Correspondance secrète* du 29 mars 1777. « Ferai-je ici le tableau du sombre désespoir? Dirai-je pourquoi on se tue à Paris, depuis environ vingt-cinq ans? On a voulu mettre sur le compte de la philosophie moderne, ce qui n'est au fond, je l'oserai dire, que l'ouvrage du gouvernement », dit Sébastien Mercier dans son *Tableau de Paris* de 1781. À ceci près qu'un tel désespoir n'est sûrement pas dû au seul ouvrage d'un gouvernement, quand dans toute l'Europe on s'emploie à considérer la profondeur du malaise. Combien d'autres en Allemagne, en Angleterre, en France, ne se reconnaîtraient-ils pas dans cet aveu de Madame du Deffand à Horace Walpole, le 23 mai 1767 : « Ignorez-vous que je déteste la vie, que je me désole d'avoir tant vécu, et que je ne me console point d'être née ? »

Nihilisme personnel ? Maladie de l'âme d'une aristocratie fatiguée ? Pas du tout. Aucun de ceux qui plus tard joueront un rôle dans la révolution, n'échappent à ce « sentiment funèbre, terrible, effrayant..., espèce de spleen qui me terrasse, qui engourdit toute mon imagination, un certain deuil de l'âme qui écrase ma pensée, et je ne sais ce que j'ai, ni comment ni pourquoi je suis ainsi », comme le note Fabre d'Églantine dans sa *Correspondance amoureuse*. Spectateurs fascinés d'une civilisation à l'agonie, encore incapables d'intervenir sur le monde, les uns et les autres sont marqués tout au long de leur adolescence par ce sombre désenchantement : « Je pleurais ; on s'obstinait à me demander pourquoi ; souvent je n'en savais rien », rapporte Larevellière-Lépeaux dans ses *Mémoires*. L'ensemble du paysage se brouille et là encore Madame du Deffand est loin d'être la seule à pouvoir confier : « Je ne trouve en moi que le néant » (Lettre à Horace Walpole du 26 juin 1768). Où qu'on se tourne, la même désespérance mine une à une les raisons de vivre jusqu'à inquiéter les tempéraments les plus impétueux. Même Diderot qui cède la parole à son ami écossais pour représenter à Sophie Volland l'étrange réalité du spleen : « J'ai des idées noires, de la tristesse et de l'ennui ; je me trouve mal partout, je ne veux rien, je ne saurais rien vouloir, je cherche à m'amuser et à m'occuper, inutilement ; la gaieté des autres m'afflige, je souffre à les entendre rire ou parler » (Lettre datée du 31 octobre 1760).

À tel point qu'à partir des années cinquante, il n'est personne qui ne se trouve affronté, à un moment ou à un autre, à l'ennui, ce monstre du XVIIIe siècle. Dans sa célèbre traduction de la *Lettre d'Héloïse à Abélard* de Pope, Colardeau n'hésite pas à parler du « sombre ennui, triste enfant du dégoût ». Ailleurs, dans *Les Malheurs de l'inconstance* en 1772, Dorat pose la question qui assaille l'époque entière : « Quel est donc ce vide éternel du cœur? Quelle est cette inquiétude que rien ne peut fixer? » Et paradoxalement, c'est ce vague à l'âme qui va avoir raison de la demeure classique. Car si « le royaume de l'Ennui est installé sur la terre », comme le dit Walpole [11] dans une lettre du 23 décembre 1742, alors non seulement il n'est plus d'asile, mais il n'est plus de construction, il n'est plus de murs qui permettent d'y échapper. Rien, ni l'exubérance des formes, ni le luxe du détail, ni le faste du décor, ne va pouvoir s'opposer à *taedium vitae*. Et la demeure s'avère soudain aussi inutile à protéger qu'à divertir.

Que reste-t-il en effet de l'édifice dont la tragédie classique avait fait le lieu où devaient se résoudre les conflits décisifs? Soumise alors aux formidables pressions de la passion, la demeure classique se dressait comme un défi de la volonté humaine, quand bien même confiants dans la résistance à toute épreuve de ses murs, les hommes venaient s'y affronter jusqu'à la mort. Façon presque rituelle de maîtriser les forces de mort : dans ce lieu circonscrit par sa solidité, dans ce lieu clos trois fois par la règle des trois unités, on pouvait manipuler les énergies destructrices. La possibilité d'y concentrer les plus violentes passions était garante de l'équilibre du monde. Sans compter que la rigueur de ses lignes réitérait formellement une étanchéité absolue entre la montée convulsive de la tragédie à l'intérieur et les entrelacs du hasard à l'extérieur. Enfin, l'extension du jardin à la française autour de l'édifice central redoublait cette étanchéité entre la sauvagerie du cœur et la sauvagerie de la nature. Mieux, en s'assurant ainsi constamment de la résistance de la séparation, c'est la séparation elle-même qui devenait fondatrice d'un monde de principes inaliénables, d'un no man's land de la maîtrise humaine déterminant très exactement l'espace classique. Monde totalement contrôlé par une volonté qui n'avait d'autre fin que de s'étendre jusqu'aux limites du possible. Pour ne pas dire jusqu'aux limites de l'impossible, puisque par un prodigieux choc en retour, l'extrême maîtrise du baroque devait finir par installer l'ennemi au milieu de la place.

Car toute la monumentalité baroque est en fait menacée par le vertige d'une maîtrise formelle que l'euphorie rococo va répercuter, amplifier et laisser finalement à l'intérieur de la demeure. Sinuosité organique, entrelacement végétal, cascade lumineuse, rien n'est si étonnant qu'on ne trouve le moyen de l'imiter, c'est-à-dire de se soumettre la plus imprévisible des formes, et qui plus est avec une prédilection pour le matériau d'évidence le moins approprié à exalter cette toute-puissance ondoyante. Au point même que toute la décoration d'alors paraît s'affirmer en continuel défi dans une discordance de principe, pourrait-on dire, entre la forme désirée et le matériau choisi pour la réaliser. Qui n'a vu avec émerveillement et agacement ces efflorescences de pierre, ces envols de porcelaine, ces rubans de verre, ces bosquets d'or, conduisant tous vers les fausses perspectives du plafond en trompe-l'œil qui rabat sur elle-même l'illusion de la maîtrise absolue en simple maîtrise de l'illusion? L'autorité prise à son propre vertige s'émiette alors en caprices. Du spectaculaire de l'ensemble baroque, de sa souveraineté théâtrale, on a glissé vers la bizarrerie ou l'agrément du détail rococo, encombrant l'espace, fatiguant le regard, épuisant la sensibilité dans une succession ininterrompue de plaisirs fugitifs. Et dans cette demeure que l'homme du XVIIIᵉ siècle n'aura eu de cesse de peupler de ses images, de ses reflets comme autant de présences pour conjurer la mort, soudain il n'y a plus de place pour vivre. L'espace de la maîtrise humaine se replie sur lui-même en paravent de miroirs qui détermine en se fermant le seuil du déséquilibre.

En un demi-siècle, l'asile est devenu ce mirage qui précipite l'individu au bord de lui-même. D'avoir trop cru aux vertus de la finitude, l'homme de ce temps découvre en lui la passion de l'infini. « Je trouvais en moi un vide inexplicable que rien n'aurait pu remplir, un certain élancement du cœur vers une autre sorte de puissance dont je n'avais pas d'idée... », écrit Rousseau le 26 janvier 1762 à Monsieur de Malesherbes. À l'accumulation des biens, à la profusion des décorations, à l'abondance des artifices répond ce vide du cœur. Après avoir été le lieu de convergence, le centre de gravité de l'espace humain pendant tout l'âge classique, la demeure est devenue le centre du vertige, le point de dispersion. Et d'y être soudain contraint de s'affronter à lui-même, l'homme d'alors la délaisse. Seulement, l'inquiétude qu'il vient de découvrir à la lumière de l'artifice ne va plus le quitter. C'est elle qui va bouleverser le jardin à la française où il porte ses pas pour commencer à trouver « quelque remède à ce dégoût du bien-être » dont parle Julie à Saint-Preux. Il n'empêche que le désordre vient de la maison comme le déséquilibre vient de l'intérieur. Mais c'est encore une demeure – une demeure à la démesure de l'interrogation qui le saisit – que l'individu du XVIIIᵉ siècle va chercher éperdument dans la nature en réinventant l'art des jardins.

Rien de plus facile en principe car la nature n'est encore qu'une idée et va le rester jusqu'à ce que l'homme déserte le centre du paysage et commence à considérer ce qui l'entoure non plus comme un décor mais comme un ensemble vivant qui le contient et dont il participe. Et les projets divergents, les théories contradictoires, les réalisations disparates, qui font l'art des jardins européens de 1720 à 1760, illustrent tous les moments de cette révolution copernicienne qui se produit alors dans le domaine sensible. Car c'est d'abord dans l'espace clos du jardin que l'anthropocentrisme classique et même encyclopédique disparaît avec les premiers errements d'une recherche de la nature. Des allées et venues inquiètes commencent par estomper les chemins si soigneusement tracés, l'ordonnance des lieux devient incertaine et les frondaisons de Fragonard ou de Watteau prêtes à déferler en vagues vert et or soulèvent déjà l'horizon. Emporté dans cette exploration lyrique du paysage, l'individu quitte la place centrale qu'il avait toujours occupée. Mais il la quitte sans être pourtant vraiment conscient de l'avoir abandonnée et d'avoir perdu avec elle sa sécurité ontologique. Ce sont les peintres les plus sophistiqués – c'est-à-dire les plus attentifs au moindre frémissement de l'air du temps –, Fragonard et Watteau, qui seuls savent évoquer le danger indéterminé de cette nouvelle situation sensible : regardez ces petits hommes boule-versants d'élégance et de grâce, menacés par l'immensité d'un orage végétal que rien ne saurait empêcher d'éclater. Regardez la fugitive lumière de leur sourire, la volupté allusive de leur allure, la fatale ironie de leur séduction, premiers signes d'une liberté en suspens devant la catas-trophe intérieure qui les menace. Regardez le jardin se figer autour d'eux en lieu problématique. Il a suffi de ce léger arrêt, de cet infime retard de la vie sur son image, pour bouleverser l'art des jardins et imposer tout à la fois fièvre, lenteur et sinuosité au décisif passage de l'idée de la nature à la découverte de la nature.

À vrai dire, on ne saurait parler d'une idée de la nature alors qu'on s'en fait une multitude d'idées. Il semble pourtant qu'on ait moins de mal à s'accorder sur ce qu'elle n'est pas. Une désaffection quasi générale du jardin français constitue le point de départ d'un voyage au pays des idées dont le but proclamé est de rencontrer la nature. On verra bientôt que rien n'est moins simple. Néanmoins, au début, nulle équivoque pour condamner le jardin français; encore que les Anglais furent longtemps les seuls à critiquer les jardins géométriques (citons en 1715, Stephen Switzer; en 1728, Batty Langley). Toutefois, c'est vers le milieu du siècle que paraissent la plupart des traités sur les jardins et qu'ont été élevés la majorité des parcs « anglais ». L'Europe ne tarde pas à suivre, et là-dessus le témoignage du marquis de Girardin en 1777 rend compte d'un vaste mouvement d'opinion :

« Le fameux Le Nôtre, qui fleurissait au dernier siècle, acheva de massacrer la Nature en assujettissant tout au compas de l'Architecte; il ne fallut pas d'autre esprit que celui de tirer des lignes, et d'étendre le long d'une règle, celles des croisées du bâtiment; aussitôt la plantation suivit le cordeau de la froide symétrie; le terrain fut aplati à grands frais par le niveau de la monotone planimétrie; les arbres furent mutilés de toute manière, les eaux furent enfermées entre quatre murailles; la vue fut emprisonnée par de tristes massifs; et l'aspect de la maison fut circonscrit dans un plat parterre découpé comme un échiquier, où le bariolage de sables de toutes couleurs, ne faisait qu'éblouir et fatiguer les yeux : aussi la porte la plus voisine pour sortir de ce triste lieu fut-elle bientôt le chemin le plus fréquenté [12]. »

En sortir? Assurément. Mais le fait est qu'on n'en sort pas, même si on se dit obsédé par l'idée d'une nature libre et libérée. Le marquis de Girardin le premier, lui qui se propose, avec l'aménagement d'Ermenonville et son traité, de trouver les « moyens d'embellir la Nature autour des Habitations, en joignant l'agréable à l'utile »,

100

lui qui ne manque pas de remarquer que : « Depuis un temps on a beaucoup parlé de jardins ; mais dans le sens ordinaire, le mot jardin présente d'abord l'idée d'un terrain enclos, aligné, ou contourné d'une manière ou d'une autre. Or, ce n'est point là du tout le mot du genre que j'entreprends de présenter, puisque la condition expresse de ce genre est précisément qu'il ne paraisse ni clôture, ni jardin ; car tout arrangement affecté ne peut produire que l'effet d'un plan géométrique, d'un plateau de dessert, ou d'une feuille de découpure, et ne peut jamais présenter l'effet pittoresque d'un tableau ou d'une belle décoration [13]. »

L'important n'est donc pas qu'il n'y ait ni clôture ni jardin, mais bien qu'il n'en paraisse rien. Et c'est justement là l'erreur que Girardin prétend dénoncer chez tous les théoriciens qui l'ont précédé. Car tous ces jardins, « antiques », « modernes », « anglais », « chinois », « conchinchinois », sont nés d'un même rendez-vous manqué entre l'homme et la nature, et s'imposent comme autant d'images produites par la même illusion d'optique. On ne voit pas la nature, on ne cherche qu'un asile. Et si le malaise est assez profond pour qu'on déserte la demeure, on ne délaisse le jardin français que pour lui substituer un autre jardin qui soit une demeure.

Projet aussi impérieux que dérisoire pour loger une sensibilité encore sans feu ni lieu. Mais pour différentes que soient les réalisations qu'il suscite dans l'Europe entière, partout la nature en est la grande absente. Partout l'idée qu'on se fait d'elle en éloigne encore plus et clôture l'art des jardins sur cette absence. Je n'entrerai pas dans le détail des échanges et des emprunts entre jardins français et jardins anglais. C'est là affaire d'érudits. Peu importe que la conception des jardins de Kent au début du XVIIIe siècle soit si fortement inspirée par la campagne romaine telle que la représentait Claude Le Lorrain, alors qu'en France depuis la moitié du XVIIe siècle, c'est le modèle chinois qui dérange quelque peu l'ordonnance du jardin classique, tel le fameux Trianon de porcelaine surgissant dès 1660 dans le parc de Versailles pour le plaisir de Madame de Montespan. Peu importe qu'on voie une protestation contre l'hégémonie du goût français dans ce « pré irrégulier où l'Anglais pose sa maison », selon l'expression du duc d'Harcourt, ou encore que les récentes transformations de l'agriculture anglaise suscitent l'éclosion de multiples « fermes ornées », quand en France, faute de crédits, on cesse d'entretenir les jardins du roi de 1698 à 1712, laissant la nature reprendre ses droits et révéler le charme mélancolique des parcs à l'abandon. Peu importe enfin qu'après 1750, le jardin anglais soit tout entier déterminé par les idées de Beau et de Sublime liées au spectacle de la grande nature comme l'établit Edmund Burke après Shaftesbury et Hume, alors que la France semble chercher fiévreusement dans ses jardins soudain idylliques le bonheur qu'elle ne trouve plus ailleurs.

Ici et là le malentendu est considérable. Et l'idylle pastorale, grâce à Gessner et à ses quelque cent cinquante imitateurs entre 1765 et 1787, ne constitue-t-elle pas en même temps la dernière illusion de régénérescence d'une aristocratie fatiguée (on sait que l'esprit affaibli de quelques grandes dames s'enflamma tout à coup pour bergeries et laiteries) et la première illusion de commencement d'une bourgeoisie désireuse d'échapper à un monde qu'elle condamne et de trouver à l'extérieur de celui-ci ses propres valeurs? En réalité, pastoraux ou exotiques, ces espaces sont toujours autres qu'on le dit, ultimes décors qu'on ne peut s'empêcher d'interposer entre le monde et soi.

Conçus comme lieux de repos ou d'exaltation, où l'on aurait goûté le charme idyllique ou sauvage d'une existence naturelle, loin des tracas et des artifices de la civilisation, tous ces jardins où l'on voulait fuir ne sont que splendides ou modestes détours qui ramènent au même point de départ, au même point de trouble. Aucun d'entre eux n'est parvenu à remplir la fonction qu'on avait cru pouvoir leur assigner. Car à l'intérieur de la zone enclose de ces jardins-refuges, l'ennui guette à la croisée de toutes les allées. On n'échappe pas si facilement au mal de vivre, et la délimitation conjuratoire d'un espace protégé ne modifie en rien l'inquiétude qui l'a exigée. Quelque aspect qu'il prenne, l'asile « naturel » est paradoxalement le lieu où l'on se sent le plus menacé. S'ouvrant comme une parenthèse dans le cours de la vie, il n'est qu'un refuge où l'on se rend pour différer le moment d'affronter les orages qui se préparent. Imperceptiblement on l'aménage pour tromper l'attente, on en fait un lieu où tout devient signe. Et puisque à l'évidence, la nature ordinaire s'avère incapable d'intéresser, on se plaît de plus en plus à imaginer une autre nature.

Sensibles à cette difficulté majeure, les théoriciens des jardins s'accordent alors à penser que, la réalité n'y suffisant pas, il faut meubler la nature suivant « trois caractères qui ont des points d'appui dans les idées reçues [et qui] peuvent servir de base à la décoration de nouveaux parcs. Le Pittoresque, le Poétique, le Romanesque ». Pour ce faire, on se livre à un prodigieux travail sur « le terrain, les plans, l'exposition, les arbres, les eaux, les espaces, les gazons, les fleurs, les aspects extérieurs [auxquels] on peut ajouter les rochers, les grottes, les accidents naturels », ainsi que le recommande Watelet. Et personne n'échappe alors à cette frénésie « naturelle » : quoi qu'il prétende, le marquis de Girardin participe également de cette fièvre d'aménagement forcené de la nature en décidant la transformation d'Ermenonville « avec le concours d'un maître jardinier écossais assisté de deux cents jardiniers venus de Grande-Bretagne ainsi que de divers artistes tels que l'architecte J.-M. Morel, et les peintres Meyer et Hubert Robert [14] ». Mais ce n'est là encore qu'une petite intervention quand on sait qu'il y avait jusqu'à vingt et un monuments ou « fabriques » dans le jardin que Chambers éleva dans le Surrey, entre 1757 et 1762, pour la princesse de Galles. Sous le prétexte d'une plus grande diversité, on enserre la demeure dans une concentration d'images matérialisées, venues du plus lointain de l'espace et du temps.

« On a cru qu'on pourrait produire une grande variété à force d'entasser dans un petit espace les productions de tous les climats, les monuments de tous les siècles, et *claquemurer,* pour ainsi dire, tout l'Univers », remarque justement le marquis de Girardin sans mesurer vraiment la gravité du phénomène. Dehors, on reproduit exactement la même conduite que celle qui avait fini par encombrer la demeure et asphyxier ses habitants. La même angoisse meuble compulsivement le jardin comme elle l'avait fait de la maison. Et, une fois de plus, la nature disparaît sous une surcharge de sentiments et de sensations.

On se prend alors à imaginer « des dispositions extra-ordinaires, fondées sur des idées même assez puériles, [et qui] peuvent produire quelques moments d'une illusion piquante. Tel serait, par exemple, un lieu très sauvage où des torrents se précipiteraient dans des vallons creux ; où des rochers, des arbres tristes, le bruit des eaux répété par les antres multipliés, porteraient dans l'âme une sorte d'effroi ; où l'on apercevrait des fumées épaisses, des feux sortant de quelques forges, de quelques verreries cachées ; où l'on entendrait les bruits de plusieurs machines, dont les mouvements pénibles, et les roues gémissantes rappelleraient les plaintes et les cris des esprits malfaisants. Ces images d'un désert magique, d'un lieu propre aux évocations, auxquelles se joindraient les accidents et les sons qui leur conviennent présenteraient un romanesque auquel la pantomime même ne serait pas nécessaire. En effet l'imagination émue serait prête à la suppléer ; et dans l'instant où le jour s'obscurcirait, où les ombres de la nuit répandraient la tristesse qui leur est propre, et les illusions qui les accompagnent, peu s'en faudrait qu'on ne crût voir dans ce désert des Démons, des Magiciens et des monstres ».

Suggestion de Watelet beaucoup moins extravagante qu'il n'y paraît, quand on note l'attention grandissante apportée dans tous ces traités aux problèmes posés par l'aménagement du *désert* qui devient vite l'étape préférée de ces parcours. Puisque les pas ramènent toujours vers la même désolation, la nouveauté est que le parcours n'est plus prétexte à errer; lentement, il a pris un sens pour conduire vers la « fabrique » sombre qui déborde le site qui lui était imparti, envahit l'espace du jardin et après avoir attiré à elle la multiplicité des désirs et des angoisses jusqu'alors éparpillés dans la diversité des styles et des lieux, commence à dresser agressivement ses ruines en face de la demeure classique ou de ce qu'il en reste.

Une épreuve de force s'engage ici. Deux mondes s'affrontent fantasmatiquement : l'un encore apparemment assuré de sa mesure, de sa finesse, de son élégance, de sa clarté – mais seulement apparemment –, l'autre simulant la menace de la nature à travers sa forme de grand oiseau nocturne en attente. Tout ce que la demeure classique avait exclu de son enceinte est soudain là, infiniment proche, infiniment lointain. Seulement la rencontre avec la nature n'a pas eu lieu : on s'est contenté de la simuler sur l'échiquier de l'artifice. Et artifice pour artifice, en croyant s'aventurer sur une nouvelle carte du Tendre, on s'est égaré sur la carte du Frénétique.

Que s'est-il donc passé pour que la recherche de la nature enferme au pays de l'artifice, pour que le désir d'apaisement engendre la passion de l'excès? Que s'est-il donc passé pour que le rêve le plus simple, le rêve pastoral, prenne les couleurs de la mélancolie?

Sans aucun doute, ce qu'on cherchait, on ne l'a pas

trouvé. Mais n'était-ce pas moins la nature elle-même que le bonheur d'une réconciliation possible avec le monde? Où qu'on se tourne, quelle que soit la scénographie du jardin, il ne faut pas grand temps pour s'apercevoir que ce rêve d'unité de l'homme et de la nature n'est possible que protégé par les remparts de l'illusion. Que cette union désirée implique une séparation inaugurale. Séparation du jardin et de la campagne environnante, séparation de la vie sensible et de la vie sociale, séparation de nouvelles préoccupations éthiques et d'un projet de société industrielle qui nie le paysage mais surtout séparation du désir et de la volonté. Telle est la vérité psychique du malheur que toutes les idylles du XVIIIᵉ siècle portent en elles : l'une après l'autre, les évocations enchantées de *La Nouvelle Héloïse,* de *Paul et Virginie,* de *Werther* ne viennent-elles pas s'évanouir sur un même bloc de ténèbres qui défie principes, sentiments, passions, jusqu'à hanter peu à peu tous les paysages?

Pourtant, l'extraordinaire est qu'on reste fasciné par ces jardins-mirages : on ne se décide pas à les quitter, on s'y attarde, on les modifie, on y trace de nouveaux chemins, on y construit de nouvelles « fabriques », on y recommence de nouveaux parcours. Comme si là, quelque chose avait fui qu'il est de la plus grande urgence d'évoquer pour ne pas succomber définitivement au délire mélancolique. On a beau reconnaître les « beautés poétiques [de] l'hospitalité, de la candeur, de la vie pastorale », on n'en constate pas moins que « le luxe, l'abus de la société et la fausse philosophie ont détruit parmi nous tout ce qui est du ressort du sentiment », comme l'écrit Baculard d'Arnaud dès 1768 dans sa *Lettre sur Euphémie.* Quoi qu'on rêve, on sait déjà que les bois charmants de la sensibilité ont été défoliés dans le cœur des hommes. On le sait si bien qu'en désespoir de cause, Sénac de Meilhan dans ses *Considérations sur l'Esprit et les Mœurs* n'entrevoit plus en 1787 qu'un seul remède : « Si leur âme a conservé quelque ressort, la nouveauté du malheur serait peut-être le seul moyen de les tirer de leur langueur. »

À vrai dire, ce qu'on croit avoir perdu sans espoir, on en guette le moindre signe, la moindre survivance. Une nouvelle délectation morose naît du sentiment de se croire si près et si loin d'une réalité qui n'en finit pas de se dérober mais qui vient continuellement confirmer l'immensité d'un désir encore sans objet. Il suffit de la croire perdue pour qu'elle ne soit déjà plus inaccessible : l'insatiabilité mélancolique étaye sans cesse l'impression d'une perte irréparable en même temps qu'obscurément conjurable.

Au point que tous ces jardins pourraient être considérés comme des *reliquaires* – réalité du mensonge, vérité de l'artifice – qui témoigneraient en même temps d'une perte et du refus d'accepter cette perte. Car c'est la nature tout entière qui peut alors être appréhendée comme une relique. La seule idée d'un âge d'or donne un semblant de réalité au paradis perdu d'une union de l'homme et de la nature. Et il n'en faut pas plus pour fuir l'actualité du malaise : on l'attribue fantasmatiquement à une perte historique. Il se pourrait même que tous les rêves du XVIIIᵉ siècle s'organisent et se développent à partir de la formation de cette relique, se fragmentant pour donner naissance à différents âges d'or, inaccessibles par définition, mais qui les uns et les autres servent d'alibi historique pour objectiver fallacieusement la perte du bonheur. Une fois, un jour, autrefois, quelquefois, l'homme aurait vécu en harmonie avec le monde. On ne saurait sous-estimer l'utilité psychique de ce détour, même si l'objectivation du désir est rejetée très loin dans un passé mythique, même si on se plaît à croire que la cause de l'angoisse actuelle réside dans la perte de ce passé.

Seulement, pour les nostalgiques de l'idylle, la notion d'âge d'or semble moins servir d'aide psychique qu'elle ne s'impose comme modèle. Tout ce qui en sépare se trouve imputé à une sorte de chute dans le temps, assortie d'une culpabilité encore toute chrétienne. Ainsi, se réconforte-t-on dans l'idée d'une innocence mythique qui vient étayer de toute sa force fantasmatique la thèse de la vertu originelle de l'homme « naturel » et « sensible ». Et pour garder cette assurance, on ne craint pas d'ignorer tous les goûts, toutes les inclinations, tous les comportements susceptibles de compromettre la possibilité d'un tel bonheur « naturel ». On se contente alors d'entretenir un rapport dévot avec la nature comme avec la nature humaine. Je ne situerais pas ailleurs ni autrement le commencement de l'idéologie humaniste. Ne pense-t-on pas déjà qu'il suffit de vivre frugalement et vertueusement pour échapper au mal qu'il est, dans ces conditions, hors de question de reconnaître, puisqu'on le veut étranger à la nature humaine? Le questionnement se fige en commodité psychique. Et le bonheur paraît aussi proche qu'il est mensonger.

C'est ce mensonge ou plutôt ce déni de réalité qui projette d'un coup l'âge d'or dans l'éternité de l'utopie. Escamotage psychique de toute importance puisque c'est l'actualité de l'interrogation passionnée de l'homme sur lui-même qui se trouve écrasée dans cette coïncidence de l'âge d'or et de l'utopie. Toutes les amarres qui reliaient encore l'idylle à un présent inquiet sont coupées. La réalité de ce présent est violemment abandonnée et avec elle disparaissent toutes les ombres qu'elle jetait sur le paysage. C'est à ce prix d'aveuglement qu'on va aborder à la fin du XVIIIe siècle les rivages ensoleillés de l'utopie.

Nous y insistons car l'idylle pastorale est l'image la plus simple, la plus immédiate, la plus évidente d'un ensemble métaphorique ou symbolique qui commence à poindre dès le milieu du siècle pour aboutir à la constitution de ce que Jean Starobinski, analysant *Les Emblèmes de la Raison,* appelle « le mythe solaire de la Révolution ». Sans doute les images « claires » qui s'imposent alors servent-elles autant à conforter l'idée d'une harmonie possible entre l'homme et le monde qu'à infléchir

...tous ces jardins pourraient être considérés comme des reliquaires —
réalité du mensonge, vérité de l'artifice...

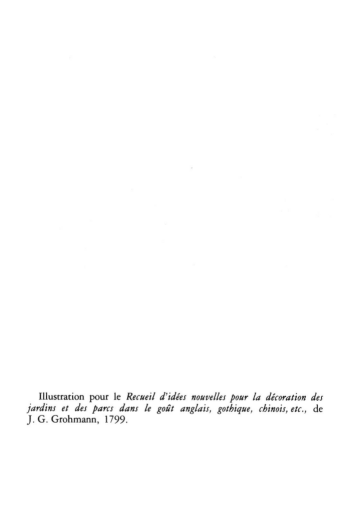

Illustration pour le *Recueil d'idées nouvelles pour la décoration des jardins et des parcs dans le goût anglais, gothique, chinois, etc.*, de J. G. Grohmann, 1799.

le cours des choses en nourrissant l'espoir de voir se lever une nouvelle réalité. On pourrait même dire que ce mythe solaire commence à déployer ses rayons au moment même où l'âge d'or coïncide avec l'utopie, comme si la lumière de l'utopie exigeait la disparition des ombres du temps, même mythique. Qu'il s'agisse de l'Otaïti de Diderot dans le *Supplément au voyage de Bougainville,* de l'île de Madère dans *Makin* de Baculard d'Arnaud, d'*Aline et Valcour* de Sade, sans oublier les latinités de David et de Canova qui vont infléchir le discours révolutionnaire, toutes ces évocations disparates ont en commun de figurer des lieux aménagés pour que s'y lève le soleil de l'utopie.

À partir de là, seule la lumière va décider des formes comme de l'avenir. À tel point que le passage de l'idylle pastorale à la cité géométrique pourrait révéler le projet inavoué d'en finir avec l'ombre. Plus d'anfractuosités, plus de bosquets, inépuisables réservoirs d'ombre. Comme si à ce moment de l'histoire, l'utopie naturelle trouvait sa rigueur dans l'affolante blancheur de la plus artificielle des lumières. « Les vieux châteaux de brigands tombent de toutes parts. Si l'on ne nous trouble pas, ils deviendront de plus en plus déserts, et seront abandonnés aux oiseaux ennemis de la lumière, aux chauves-souris et aux hiboux. Les nouveaux bâtiments au contraire, s'étendront peu à peu et finiront par former un ensemble régulier », ne craint pas de proclamer Fichte. D'ailleurs avec le fonctionnalisme qui va déterminer la cité géométrique, ne prétendra-t-on pas réaffirmer l'ordre naturel dans sa pureté essentielle ? Pureté si éblouissante que la nature va purement et simplement disparaître à la lumière de ces principes « naturels ».

Ainsi, est-ce l'éclairage et l'éclairage seul qui va différencier des lieux fantasmatiques coexistant jusqu'alors confusément. Comme si le parti pris de la lumière incitait à meubler l'horizon alors que l'obscurité le creuse jusqu'à effacer les unes après les autres les idées qu'on n'a cessé

111

de se faire sur la nature. Il aura fallu le détour de l'artifice pour découvrir une absence de la nature que n'auront pu conjurer ni l'ombre ni la lumière. Idylle pastorale ou méditation sépulcrale, dans les deux cas on aura emprunté le parcours illusoire du jardin pour aller du noir au noir. Car le fol engouement pour l'idylle vers les années cinquante ne doit pas abuser : il est lié au sentiment grandissant que ce bonheur-là est menacé ou tout simplement impossible. En fait, la couleur noire commence à envahir le paysage, emportant à la dérive les îlots de lumière de l'idylle et provoquant ainsi leur cristallisation panique. Est-ce pour ne pas sombrer dans les remous de l'ombre qu'un à un les rêves de bonheur se pétrifient en précipité utopique? Et autant le tableau clair va se fermer sur lui-même, figeant tout son enjeu symbolique sur les perspectives immuables de la cité géométrique, autant le tableau sombre s'approfondit, déployant à l'infini ses replis ténébreux.

Telle est d'ailleurs la supériorité fantasmatique du paysage noir. À l'inverse de tous les autres, il ne sert pas à travestir la réalité psychique. Au contraire, il dévoile jusqu'à l'inconvenance ce que le rêve idyllique avait voulu nier : la solitude humaine. Pour la première fois, le rideau se lève sur le vide. Et du fond de ce désarroi, l'homme va commencer à *voir* la nature comme il ne l'avait jamais imaginée : lointaine, sauvage, dangereuse, elle figure violemment l'espace infini de la séparation. C'est le long de cette sombre vérité que l'horizon bascule, laissant voir peu à peu le paysage imaginaire de ce temps, tournoyant au cœur des Lumières comme le lieu irréel et irréductible où va s'inscrire ce qui ne peut être formulé dans le langage des Lumières. Plus question de repère ni d'horizon, la couleur noire est déjà l'architecte de ce nouveau paysage.

La trouvaille gothique

Et c'est de cette incongruité qu'il nous faut partir : le lieu le plus irréel du XVIIIe siècle − ou encore le plus étranger à la conscience générale − s'avère dès le début le moins mensonger. Paradoxe essentiel des objets imaginaires : leur plus ou moins de vérité tiendrait dans leur plus ou moins grand pouvoir de dénier la réalité et leur fonctionnement consisterait à dégager un espace intermédiaire entre le mensonge de la réalité, et la réalité du non-mensonge. Question de distance, question d'amplitude qui fait battre plus ou moins violemment le cœur ténébreux du réel.

Nous l'avons vu, tous les paysages rêvés, toutes les contrées imaginaires, tous les âges d'or qui envahissent alors la sensibilité du siècle, tournent en manège trompeur autour du même axe obscur, autour de l'indéniable séparation de l'homme et de la nature. Telle est la profondeur abolie qui hypothèque toutes les propositions mythiques, exotiques, utopiques dont se grise l'époque. Mais telle est aussi la profondeur entrevue qui va fonder l'espace noir, l'espace où cette séparation de l'homme et de la nature va être constamment rejouée et vécue comme le seul lien qui peut encore les unir l'un à l'autre. Il n'en faudra pas plus pour que la mélancolie change : de plaintive elle va devenir efficiente, de sentimentale métaphysique, de passive agressive jusqu'à ce que, de grise,

113

elle devienne noire. Le temps n'est plus à se demander les raisons pour lesquelles on se lasse si vite des charmes d'une nature riante, quand on n'a de cesse de trouver une autre nature qu'on n'a encore jamais vue, dont l'idée existe à peine mais dont on cherche intensément les traces, les signes, les empreintes dans tout ce qui échappe à la maîtrise humaine.

Je ne sais si on peut aujourd'hui imaginer avec quelle fièvre on vit alors émerger orages, tempêtes, précipices, cascades, déserts, comme autant de repères susceptibles de déterminer cette quête hagarde. La découverte de ce qu'on appellera la « grande nature » est liée à celle de la discontinuité des accidents naturels. Fasciné, on se perd et on se trouve dans cette vision déchiquetée du monde. De la totalité harmonieuse, du lieu réconciliateur, dont on avait rêvé, voilà qu'on ne distingue plus qu'un inquiétant puzzle dont les éléments épars apparaissent et disparaissent sur fond définitivement noir. Tous ces « antres ténébreux », ces « solitudes affreuses », ces « forêts obscures », ces « tempêtes bien horribles », ces « rochers affreux », qui déferlent alors sur les mémoires et correspondances, ne servent qu'à dire et redire le « charme horrible » d'une même « obscurité religieuse » qui excède situations et sentiments pour imposer ses couleurs, le noir de la nuit, le noir du temps, le noir de la mort.

Nouvelle illusion d'optique conséquente à la distance? Ou au contraire l'affleurement de la couleur noire aurait-il pour résultat d'approfondir jusqu'au vertige le champ du regard? Ou bien encore les objets imaginaires seraient-ils liés au destin de la couleur·noire? Question centrale qui recoupe et préciserait celle des châteaux pour établir ou non que la poésie sourd toujours d'entre les plus sombres pierres du désespoir.

En fait, la mode grandissante des méditations sépulcrales vers les années cinquante vient très rigoureusement doubler celle des idylles. Non pas en vision contraire mais en approfondissement brutal de la perspective. Comme si toute cette poésie des tombeaux, de Gray à Bulidon, de Sylvain Maréchal à Hervey, n'avait d'autre fin que de précipiter l'intemporalité de la pastorale dans les gouffres du temps. N'y retrouve-t-on pas constamment, mais dérivant sur la nouveauté noire de l'abîme, le même besoin de repos, la même soif d'harmonie, le même désir de fusion, que dans la pastorale?

« Ô! tombeau désirable! ô! demeure tranquille!

Le malheur nous poursuit : prête-nous un asyle.

À l'orage qui gronde, ô Mort! dérobe-nous... »

demande Choderlos de Laclos dans l'*Almanach des Muses* de 1777. Rien ne change, si ce n'est l'éclairage qui, en s'assombrissant jusqu'au noir, bouleverse purement et simplement le paysage. Soudain serties par ces ténèbres, voilà que les figures de la certitude se rejoignent pour déterminer une ligne de fracture qui annonce le temps de l'égarement.

Étrange cheminement de la couleur noire! Ne réapparaît-elle pas là au plus loin des domaines réservés où elle avait surgi au siècle précédent? Même si on ne mentionne que très rarement aujourd'hui les *Histoires mémorables et tragiques de ce temps*, ..., en 1619 de François de Rosset, *L'Amphithéâtre sanglant*, *Les Spectacles d'horreur*..., en 1630 de Jean-Pierre Camus, où se mêlaient crûment l'horrible et le galant suivant les règles d'une tradition auparavant illustrée par Bandello et son continuateur Belleforest. Pourtant, au moment même de la « crise de la conscience européenne », n'avait-on pas vu poindre les premiers signes d'un recul de la raison, d'une sorte de revanche végétale de l'immodération venant corriger les formes trop géométriques de l'édifice classique, sans néanmoins le mettre véritablement en péril? C'est même le genre le plus décrié à l'époque, le roman,

115

qui se prêta à cette offensive quelque peu désordonnée. Je pense plus particulièrement à cette histoire de *La Comtesse de Château-Briant ou les Effets de la jalousie*, racontée par Pierre de Lesconvel en 1695 et dont le propos – une très jeune femme vertueuse, mariée à un gentilhomme breton, s'éprend du roi et tente de résister à sa passion –, la construction et la facture rappellent fort *La Princesse de Clèves*; à ceci près cependant que le mari est pathologiquement jaloux : « ...dès le lendemain des noces, il n'eut plus d'autre empressement que de cacher aux yeux de la Cour sa nouvelle épouse, et s'alla reléguer avec elle dans le fond de la Bretagne à Château-Briant ». Alors, à la surface d'un récit très classique commencent à éclore quelques fleurs de peur et de sang : longtemps séquestrée dans un appartement que « son mari lui avait fait tendre... tout de deuil », l'infortunée comtesse s'éteint après une très lente saignée ordonnée par son époux.

Nul doute que ce petit roman tranche par sa rigueur dramatique sur le reste d'une production [15] quelque peu baroque mais franchement médiocre et où il est systématiquement insisté sur le détail horrible. L'effet en est rarement tragique, souvent bizarre et quelquefois drôle comme cet épisode de la vie très mouvementée de la très malheureuse marquise de Frêne, dont Courtilz de Sandras nous conte les *Mémoires* en 1701 : non contente de perdre un bras lors de l'attaque d'un navire corsaire où elle était tenue prisonnière, cette jeune personne se livre à un curieux manège pour retirer une bague de la main qui lui a été arrachée dans le tumulte; après quoi, elle décide enfin de jeter son bras à la mer, sous le regard consterné et admiratif de ses compagnons de voyage. En réalité, l'intérêt de ces histoires est dans ce genre de performance qui donne avant tout une coloration bouffonne à des horreurs souvent attendues.

Pourtant d'entre cette exubérance macabre, quelques éléments du décor reviennent assez fréquemment pour

alerter : en deçà de la luxuriance du récit, ce sont les
« bruits sourds », les « lugubres gémissements, le « grand
vent », les « inquiétudes mortelles » qui ponctuent les
Aventures de Don Antonio de Buffalis [16] ou bien cette
Tour ténébreuse, « séjour affreux, et dont tous les appar-
tements et les escaliers étaient si noirs, qu'il y fallait en
plein jour des flambeaux pour s'y conduire [17] », ou plus
encore les souterrains, les caveaux du redoutable château
du comte Telomir en Franconie [18]. Comme si dans la
confusion de ces bizarreries indifféremment médiévales,
hispaniques, barbaresques, un décor se mettait en place,
attirant les plus petites parcelles de noir en suspension
dans ces récits.

Dans le même temps, la peur se défait lentement de
ses masques rieurs et c'est alors qu'elle commence à
intéresser. Dès 1735, elle s'étend sourde et implacable
pour devenir tourment, avec son cortège d'angoisse, de
trouble et de folie, dans la sombre histoire d'amour du
comte de Comminge racontée par Madame de Tencin.
Peu importe en fait la tragédie de ces deux amants
séparés pour toujours, quand son principal mérite est
d'annoncer clairement la couleur, le noir. Car pour la
première fois, le noir déborde les limites de l'anecdote
pour investir le paysage. Pour la première fois aussi, le
château où se retire le jeune comte de Comminge pour
y vivre son malheur et le raconter, tend à occuper tout
l'espace romanesque. Pour la première fois enfin, le
minéral est confusément perçu comme une cristallisation
du passionnel, même si dès 1717 Pope dans sa *Lettre
d'Héloïse à Abélard* avait déjà associé le cloître et ses
ombres au désespoir amoureux. Ici, le paysage s'impose
comme la concrétisation d'un frémissement passionnel
primordial : « Le reste de notre voyage se passa comme
le commencement, sans que j'eusse prononcé une seule
parole. Nous arrivâmes le troisième jour dans un château
bâti auprès des Pyrénées; on voit à l'entour des pins,
des cyprès, des rochers escarpés et arides, et on n'entend

que le bruit des torrents qui se précipitent entre les rochers. Cette demeure si sauvage me plaisait, par cela même qu'elle ajoutait encore à ma mélancolie. »

À cet égard, les *Mémoires du Comte de Comminge*, publiées au départ sans nom d'auteur, marquent un tournant décisif. Et quand l'infortuné héros de Madame de Tencin déclare dès 1735 : « Je fis dessein d'aller dans quelque lieu où je puisse être en proie à toute ma douleur. J'imaginais presque un plaisir à me rendre plus malheureux que je ne l'étais », tout se passe comme si l'horizon s'ouvrait à perte de vue devant le surprenant plaisir de découvrir au fond de soi un sentiment inconnu qui contient et dépasse le malheur. Sans doute le macabre romanesque se prolonge-t-il jusque vers le milieu du siècle, mais après 1735 la bouffonnerie s'estompe dans une atmosphère de plus en plus sombre comme celle de l'*Histoire de Lidéric, premier comte de Flandre*, 1737, nouvelle historique et galante de La Vieuville d'Orville ou encore celle de *Gaston de Foix*, 1739, du même auteur. Une à une, les pierreries sanglantes, qui scintillaient dans les histoires horribles du début du siècle, quittent leur monture baroque pour réapparaître, cette fois, prises dans le filon souterrain qui les porte depuis toujours.

Imperceptiblement le discours sur le mal se transforme en *discours noir*, voix longtemps indistincte, longtemps confuse, transmettant non pas ce qui se dit mais ce qui se fomente au fond de l'homme. Moment capital dans l'histoire de la sensibilité européenne : là prend naissance un mouvement irréversible qui va aller du grand refus romantique à l'esprit de démoralisation véhiculé jusqu'à nous par Dada et le surréalisme et qui n'a pas fini de suspecter tous les lendemains qui chantent. Nul doute qu'il s'agisse là d'une des plus lentes révolutions de l'esprit, tant le risque est grand d'y perdre, avec l'idée de transcendance, toutes raisons de vivre. Cette révolution commence avec le XVIIIᵉ siècle quand quelques-uns, fous de lucidité, n'hésitent pas à penser au bord de l'abîme, et que les autres se sentent inconsciemment attirés par les appels d'air de cet abîme surgi au cœur de la vie. Le fait est pourtant que l'époque entière va sans cesse se laisser traverser par ces perturbations, attendant et redoutant obscurément ses « orages désirés ».

Tel est bien aussi ce qui sépare Sade de son époque et l'y unit obscurément. Au point que le crime de Sade aurait été de rendre compte jusqu'à l'inconvenance des bouleversements atmosphériques que ses contemporains, s'ils les vivent, ne peuvent, ni ne veulent nommer. Quoi de plus naturel et de plus tragique que cette ténébreuse connivence sous-tendant une aussi ténébreuse incompatibilité! Comment ne pas voir ici encore que notre modernité commence aussi avec le projet de conjurer — non pas de briser — ce pacte infernal qui là unit et désunit le nombre et l'unique, l'unique et le nombre? Projet insensé qui n'est que celui de la poésie et qui réussit parfois le temps de quelques éclairs illuminant la nuit. Faute de quoi, on en est quitte pour s'embourber dans l'ornière idéologique. Et est-ce vraiment par hasard qu'au moment où l'on cherche à systématiser cet appesantissement de la vie sur elle-même, où la volonté générale cherche à étendre et installer son réseau de certitudes, le discours noir s'affirme au plus près du frémissement sensible comme force centrifuge?

Je ne le crois pas quand dès le départ on y reconnaît cette façon souveraine d'en finir avec ce qui amoindrit : « Tu me demandes pourquoi je m'obstine à n'offrir que des idées de mort; sache que cette pensée est un levier puissant qui soulève l'homme de la poussière et le redresse sur lui-même », écrit Young. Et *Les Nuits* constituent l'étalon de cette soudaine distance prise avec le monde comme il va, pour ressourcer la pensée à ce point d'égarement, à cet épanchement du néant en son centre, à cette extrême vulnérabilité qui lui donne la plus folle audace.

Toutefois, on ne dirait rien de la nouveauté de ce discours si on en occultait l'origine *naturelle*. Car même si la profusion des « chroniques scandaleuses » depuis le début du siècle témoigne que les temps ont changé, que la distance entre ce qui se dit et se fait ne cesse de diminuer ; même si on assiste là à une progressive remontée des eaux troubles s'infiltrant jusque dans les soubassements d'édifices fermement assis, tant qu'elles étaient maintenues dans les canaux traditionnels des récits horribles, des histoires galantes ou des mémoires exceptionnels, le sol commence vraiment à se dérober quand, faute de pouvoir s'en remettre encore à Dieu, on interroge la nature. On ne cesse de l'interroger mais pour découvrir sous les images heureuses de la pastorale son obscur travail de mort. Écoutons encore Young : « Heureux l'homme qui dégoûté des plaisirs factices d'un monde tumultueux, et de tous ces vains objets qui s'interposent entre notre âme et la vérité, s'enfonce par choix sous l'ombre épaisse et silencieuse des cyprès, visite les voûtes sépulcrales que le flambeau du trépas éclaire, lit les épitaphes des morts, pèse leur poussière, et se plaît au milieu des tombeaux ! Ce sombre empire, où la mort est assise au milieu des ruines, offre à l'homme un asile paisible où son âme doit entrer souvent et promener ses pensées solitaires. »

L'émergence du noir est liée à cette découverte historique du lien mortel qui unit l'homme à la nature. Et cinquante ans plus tard, le critique enthousiaste de Madame de Tencin ne s'y trompe pas quand il évoque le malheureux comte de Comminge « seul dans la nature avec l'objet de sa passion, faisant retentir les bois, les antres, les rochers sauvages d'un nom qui cause ses transports et son désespoir, creusant avec activité la fosse funèbre où il espère bientôt cesser de gémir, d'aimer et d'être [19] ». Rien n'est moins élégiaque que ce nouveau sentiment de la nature s'affirmant dans un climat de non-recours absolu. C'est sur un ciel vide qu'apparaît la sombre énergie qu'il met en jeu : « Le printemps m'impatiente; je voudrais quelquefois que ces campagnes fussent couvertes de neige, et que le fleuve se débordât », n'hésite pas à écrire Léonard dans une de ses *Lettres de deux amants...* en 1783. Comme si toute l'énergie investie dans le nom de Dieu, se libérant peu à peu, revenait sauvage, déroutante, farouche pour hanter pareillement l'homme et la nature. Et c'est là, à mes yeux, un des temps forts de l'incroyance quand le sentiment de la nature se confond convulsivement avec le sentiment de la nature humaine.

Car le mouvement qui porte alors vers la nature dans ce qu'elle a d'horrible, de terrifiant – les précipices, les forêts, les tempêtes – est le même que celui qui entraîne vers le noir : les égarements de la nature semblent d'abord répondre ou correspondre à ceux du cœur. L'anthropocentrisme aidant, on n'en continue pas moins de les regarder comme un reflet, voire une image approximative de l'âme humaine. Seulement, à mesure que l'introspection se laisse absorber dans la contemplation du paysage, on sent confusément qu'il s'agit de la même nature. Cette impression devient même certitude pour certains comme Saint-Preux : « ...je cours, je monte avec ardeur, je m'élance sur les rochers, je parcours à grands pas tous les environs, et trouve partout dans les objets la même horreur qui règne au-dedans de moi. On n'aperçoit plus de verdure, l'herbe est jaune et flétrie, les arbres sont dépouillés, le séchard et la froide bise entassent la neige et les glaces, et toute la nature est morte à mes yeux, comme l'espérance au fond de mon cœur [20]. » Voilà la réciproque « naturelle » de la scénographie du jardin anglais : si l'homme est sensible à l'organisation du paysage, le paysage lui renvoie brutalement, non plus l'image, mais la réplique de son organisation sensible.

Renversement de perspective : la plus lointaine nature ramène au plus profond de l'homme. Ainsi, commence-t-on à pénétrer les galeries du cœur et des passions avec la même angoisse et la même fascination que les forêts inconnues, les grottes solitaires, les orages terrifiants. Pendant près d'un siècle on s'interrogera sur les échanges de l'homme et de la nature et il faudra que l'œil s'habitue au noir pour entrevoir les dessins tourmentés et la multiplicité des voies qu'ils ouvrent au plus loin de l'horizon. Plus qu'à tout autre, c'est à l'abbé Prévost que revient le mérite d'avoir mis en évidence ce *lien organique* entre les délires du cœur et ceux de la nature. Car ce n'est pas le souvenir ému du conteur qui lie les uns aux autres les seize épisodes des *Mémoires d'un homme de qualité* (1728-1731) – dont *Manon Lescaut* constitue l'un de ces récits – mais bien une certaine nature indomptable, terrifiante et fatale. D'une histoire à l'autre, les forêts, les cavernes, les précipices semblent s'ouvrir pour laisser circuler le sang d'une nuit qui charrie avec lui toute la déraison humaine. Ne suffit-il pas que le marquis de *** aille se promener pour remarquer « dans le fond d'un fossé sec, les extrémités de quelques pierres... trop bien liées pour ne pas faire partie d'une muraille ou d'un bâtiment » ? Intrigué, il revient le lendemain, accompagné de quelques hommes pour « creuser la terre des deux côtés de cette espèce de muraille » ; de souterrains en salles voûtées, d'escaliers en vestibules, le voilà soudain face à trois affreuses statues de grandeur humaine : « elles avaient toutes trois le pied sur un coffre de fer, dont la figure était un carré long, de la grandeur d'un cercueil ordinaire. J'avoue que ce ne fut pas sans quelque frayeur que je fis ouvrir le coffre. J'y trouvai un poignard tranchant des deux côtés, mais tout couvert de rouille ; quelques os d'hommes ou de femmes et une poussière humide, qui était apparemment le reste d'un corps consumé de pourriture. Je pris le poignard : en considérant avec attention ce funeste monument, j'aperçus cette courte inscription sur le coffre, en caractères très lisibles :

FURORI SACRUM.

« Je ne doutai point que ce ne fût l'effet de quelque vengeance cruelle inspirée par la haine ou par l'amour outragé [21] ».

Il n'est pas de roman noir qui ne conduira, par des chemins plus ou moins détournés, à ce « furori sacrum », écrit avec le feu des passions sur les pierres des ténèbres. Mais déjà, le rythme extrêmement rapide des aventures rapportées dans ces *Mémoires* s'impose comme l'écho d'une fatalité organique de l'amour et de la mort, enchaînant les unes aux autres ces sombres histoires. Peu à peu, les éléments d'un nouveau décor prennent racine au plus profond de la nature. Ruines, abbayes, demeures isolées surgissent des rochers eux-mêmes, tandis que sous chaque construction humaine la nature creuse l'espace infini d'un horizon intérieur.

Il s'ensuit un gigantesque déraillement de la notion même de sensibilité. Car cette arme « naturelle », dont on avait rêvé comme ultime force d'équilibre, participe de l'alchimie souterraine des égarements de l'homme et de la nature. Et alors que toute référence à la pastorale est portée par l'espoir d'instaurer un ordre harmonique qui mettrait fin au règne médiateur de l'artifice, le paysage sombre s'organise précisément à partir de cette dégénérescence sensible rendant l'homme incapable de se contenter de sensations simples. Je dirais même plus : le paysage sombre sert à aggraver le malaise puisqu'il va s'affirmer et se développer comme le seul lieu à même de garantir une continuelle surenchère de l'émotion, soudain devenue indispensable. C'est alors que l'imagination prend le relais au moment même où elle « est d'autant plus active, qu'elle règne sur des organes délicats qui, incessamment flattés, ont perdu leur ressort, et se sont affaissés dans une langueur qui soumet les nerfs aux plus terribles convulsions ; parce que détendus par trop de

123

jouissances, ils se replient et agissent sur eux-mêmes »,
comme le remarque encore Sébastien Mercier en 1781.

Voilà bien le dernier recours – l'imagination – pour
tenter un ultime pari à partir de ce qui est. À partir
d'une nuit mentale qui envahit soudain la pensée et
qu'on ne saurait longtemps masquer sous des formes
idylliques ou exotiques. Proposition extrême qui part du
pire, qui ne veut rien corriger mais qui va tout bouleverser, et dont on remarquera l'extravagance dans un
siècle pédagogique. Alors, lentement mais sûrement,
l'imagination dévoie la sensibilité vers la sauvagerie de
la forêt mentale.

Mais pour y découvrir quoi? Des ruines, des buissons
de ruines, des futaies de ruines, des champs de ruines.
Telle est l'inquiétante végétation qui compose la forêt
mentale vers le milieu du XVIIIᵉ siècle. Et on ne dira
jamais assez à quel point la ruine est le monument de
ce temps, le seul monument à avoir pris forme sous la
poussée des forces antagonistes qui travaillent les profondeurs de l'époque. Elle est la cristallisation hagarde
des enjeux contradictoires qui hantent le siècle : n'est-
elle pas la résolution convulsive d'un impossible choix
entre nature et culture, liberté et déterminisme, énergie
et ordre, histoire et mémoire, totalité et fragment, fin et
commencement? Comme si le vertige même né de la
multiplicité des enjeux avait dessiné sur le vide cette
forme en attente figurant l'attente d'une autre forme.

Le fait est que vers la moitié du siècle, ruines de
toutes sortes, romaines, gothiques, bibliques, antiques,
occupent littéralement la peinture, la poésie, l'art des
jardins mais aussi la recherche historique. En Angleterre,
ce qu'on a appelé le mouvement des « antiquaires », alors
même qu'il se signale dès 1720-1730 par le sérieux de
ses recherches et l'ampleur de son érudition, livre peu à

...des ruines, des buissons de ruines, des futaies de ruines, des champs de ruines.

Hubert Robert : *Vue imaginaire de la Grande Galerie du Louvre en ruine*, 1796.

peu une masse considérable de matériaux propres à toutes les rêveries. Ainsi, les travaux de Browne Willis sur les cathédrales *A Survey of the Cathedrals* (1727-1730) mais surtout l'*Itinerarium Curiosum* (1724) de William Stukeley, dressant l'inventaire des monuments anglais à l'abandon, sont pour beaucoup dans la floraison des recueils de planches gravées ou dessinées représentant très fidèlement les ruines qui jalonnent tous les comtés d'Angleterre. Quant aux vestiges romains, tous ces graveurs « topographes » les ont tellement dessinés et redessinés que cela devient une tradition pour les jeunes voyageurs européens de s'amuser à les retrouver. Quelle que soit l'ambiguïté de ce soudain intérêt de l'Europe pour son passé, les réflexions morales ou esthétiques qu'il suscite ne sauraient justifier ce déferlement monumental qui devient en quelques années l'expression même de la modernité de Young à Hubert Robert, de Diderot à Pannini.

Et pourtant quoi de moins neuf que le genre élégiaque où la ruine, célèbre ou non, est et demeure, depuis l'Antiquité jusqu'à l'âge classique en passant par la Renaissance, le support inévitable de méditations controuvées sur la fuite du temps ou la fragilité des choses humaines! Même si la ruine commence à figurer incisive, intense, à travers son inutile grandiloquence, la nouvelle et mortelle harmonie de l'homme et de la nature, quoi de plus usé que cet accessoire qui sert depuis des siècles de faire valoir aux nativités comme aux compositions allégoriques les plus fades!

La nouveauté est qu'en quelques années la ruine est devenue autonome. De toile de fond, d'accessoire pittoresque, elle s'impose comme sujet. C'est elle soudain qui organise le tableau, le poème et même la recherche historique. Les érudits médiévistes anglais sont sans aucun doute à l'origine des ruines qui à partir des années quarante envahissent les jardins. Mais c'est dans la peinture que la ruine s'arrache avec le plus de netteté de la gangue allégorique qui l'entourait jusqu'alors : lentement, très lentement d'abord, comme chez Claude Lorrain ou Jacob Van Ruisdael, la nature, envahissant peu à peu tout ce qui n'est pas la ruine, efface une à une les références anecdotiques, mythologiques ou historiques. Ainsi, retrouve-t-on chez ces peintres mais aussi chez Willem de Heusch, Cornelis Van Poelenburgh, Stefano della Bella, Salvator Rosa, et avec presque un siècle d'avance, le même mouvement qui dans l'art des jardins fait surgir la ruine au cœur même de la nature, au point crucial de l'immense interrogation que celle-ci suscite, au point de tangence où les forces humaines affrontent les forces naturelles. Même si plus tard les ruines d'Alessandro Magnasco vont encore garder une allure de décor, leur extrême théâtralité rend déjà accessoire tout autre élément. En fait, dès le début du XVIIIe siècle, tout change. Et avec Guardi, Pannini, Servandoni, la ruine grandit, s'étend, occupe tout l'espace pictural. À tel point qu'on peut se demander si l'exactitude quasi documentaire du dessin ne sert pas ici d'alibi architectural pour dissimuler et se dissimuler l'importance démesurée que prennent les ruines parmi les autres *vedute* que les riches voyageurs collectionnent comme des cartes postales. Comment ne pas remarquer dans le même temps le gigantisme qui affecte de plus en plus la représentation de la ruine? Les rares personnages qui errent encore dans ces vestiges rapetissent avec les années pour s'évanouir en taches de couleur. Et à voir les compositions de John Baptist Jackson, et évidemment de Piranèse, on en vient à penser à cette « carcasse de quelque bête féroce » que ne peut s'empêcher d'évoquer Bernardin de Saint-Pierre dans ses *Études de la nature* à propos d'une ruine gothique.

Car il s'agit bien là de « quelque chose d'énorme, de barbare, et de sauvage » pour reprendre la splendide phrase de Diderot sur la poésie. Car il s'agit bien là du surgissement énorme, barbare et sauvage de la poésie en plein siècle des principes et des systèmes. Et il ne suffit pas de parler du passage de la *veduta* au *capriccio,* soit d'un genre à un autre, pour rendre compte du fait qu'au milieu du siècle, la représentation de la ruine bascule complètement dans l'imaginaire; ni que jusqu'alors évocatrice du principe même de la destruction, la ruine, ou plutôt son apparition, commence à se confondre avec celle d'un nouveau principe bâtisseur.

Processus flagrant chez Piranèse qui, après s'être avidement nourri des ruines romaines, après avoir pillé toutes les ressources de la campagne italienne, ne semble avoir d'autre projet que d'explorer indéfiniment l'inconnu de ses *Carceri d'invenzione.* Indéfiniment puisque innervant le vide et l'obscurité, ses constructions se développent en enjambements successifs du néant. Difficile de dire pourquoi rien ne paraît dès lors faire obstacle au vertige de cette expansion, si ce n'est que Piranèse a saisi avant – et peut-être plus violemment que quiconque d'autre – la sauvagerie édificatrice soudain portée par la ruine.

Quelle énergie est donc à l'œuvre dans le paysage sombre pour qu'il devienne en quelques années le théâtre de cette genèse à l'envers? Non qu'on assiste là à quelque tentative de reconstitution plus ou moins approximative des bâtiments primitifs. Au contraire, on remarque avec les années un flou stylistique grandissant que vient renforcer un assombrissement sensible de la lumière : portiques, palais, portes en ruines deviennent de moins en moins romains sous des ciels de moins en moins méditerranéens. « Toutes les ruines, écrit Thomas Whately dans ses *Observations on Modern Gardening,* piquent notre curiosité sur l'état ancien de l'édifice, et fixent notre attention sur l'usage auquel il était destiné. Indépendamment des caractères qu'expriment leur style et leur position, elles font naître des idées que les bâtiments mêmes, s'ils subsistaient, ne produiraient jamais... de tels effets n'appartiennent proprement qu'à des ruines réelles; mais des ruines artificielles peuvent aussi les produire jusqu'à un certain degré. Les impressions n'ont pas la même force, mais elles sont de la même nature ; et, quoique la représentation ne rappelle point de faits à la mémoire, elle peut beaucoup exercer l'imagination. » C'est en fait de son incertitude formelle, de son inachèvement essentiel que la ruine tient son pouvoir édificateur. Peu importe alors que ces ruines soient vraies ou fabriquées du moment que « leur effet propre », comme le remarque encore Whately, soit « d'exercer l'imagination, en la portant fort au-delà de ce qu'on voit ».

Exercice qui annonce une véritable révolution du regard : non seulement la réalité n'est plus que le point de départ de l'imaginaire, mais la chose vue s'estompe devant la vision. Exercice qui passionnera toute une génération, désireuse après Young, Hervey, Warburton, Gray, de donner vie, tant en France qu'en Angleterre, à ces monuments fantômes dans le seul but d'y goûter à l'instar de Thomas Warton *Les Plaisirs de la Mélancolie*. D'après Maurice Lévy [22], on ne saurait compter vers les années soixante les lecteurs du *Gentleman's Magazine* qui disent courir les ruines pour y éprouver une « terrible grâce », un « délicieux frisson », parmi une multitude de sensations aussi fortes que troubles. Tout porte à croire que ces plaisirs ineffables sont avant tout ceux d'une imagination soudain livrée à elle-même, soudain prise de vertige devant son infinie liberté. Si bien qu'à force de rêver de ces tours solitaires, de ces voûtes effondrées, de ces nuits insondables, une génération entière ébauche spontanément son paysage métaphysique.

Constamment modelée, façonnée, redessinée par les rafales obscures des questions que l'homme se pose alors à lui-même, la ruine devient effectivement cet échafaudage immense et tremblé, ouvert sur cet « au-delà de ce qu'on voit » dont parle Whately avec une remarquable intuition. Peut-on rêver meilleure introduction collective à la poésie, qui n'est jamais que cet espace mobile, contradictoire, excessif et fragile, venant violemment hanter la réalité de ce qui est? D'autant plus qu'en plein xviiie siècle, la poésie n'a pas d'autre tremplin que la ruine. Entre le chaos d'un monde qui s'effondre et le chaos d'un monde qui commence, par où passerait-elle si ce n'est par cette passerelle mentale qui lie convulsivement la fin et le commencement, le fragment et la totalité, l'espace et le temps?

« Ô les belles, les sublimes ruines!... Avec quel étonnement, quelle surprise je regarde cette voûte brisée, les masses surimposées à cette voûte! Les peuples qui ont élevé ce monument, où sont-ils? que sont-ils devenus? Dans quelle énorme profondeur obscure et muette mon œil va-t-il s'égarer? À quelle prodigieuse distance est renvoyée la portion du ciel que j'aperçois à cette ouverture! L'étonnante dégradation de lumière! comme elle s'affaiblit en descendant du haut de cette voûte, sur la longueur de ces colonnes! comme ces ténèbres sont pressées par le jour de l'entrée et le jour du fond! on ne se lasse point de regarder. Le temps s'arrête pour celui qui admire. Que j'ai peu vécu! que ma jeunesse a peu duré! »

Dans ce *Salon de 1767,* Diderot ne s'y est pas trompé, fasciné par ce pont de ténèbres lancé sur les ravins de la lumière, par ce pont d'intensité obscure forçant les berges de la durée, par ce pont de la poésie suspendu au-dessus de l'abîme des contraires : praticable de l'imaginaire, la ruine a déjà inscrit sur l'horizon des Lumières sa forme transitive, tout entière projetée au-delà d'elle-même. Il faut encore écouter Diderot expliquer à l'auteur de cette « grande galerie éclairée du fond » le secret de sa réussite : « Monsieur Robert, vous ne savez pas encore pourquoi les ruines font tant de plaisir, indépendamment de la variété des accidents qu'elles montrent; et je vais vous en dire ce qui m'en viendra sur-le-champ.

« Les idées que les ruines réveillent en moi sont grandes. Tout s'anéantit, tout périt, tout passe. Il n'y a que le monde qui reste. Il n'y a que le temps qui dure. Qu'il est vieux ce monde! Je marche entre deux éternités. »

N'est-il pas étonnant que Diderot retrouve en quelque sorte à rebours la nécessité poétique de la ruine : elle est ce parcours qu'il vient de faire « entre deux éternités », elle est la pensée lancée vers tout ce qui n'est pas elle, elle est la pensée risquée contre elle-même. Comme si à ce point de l'histoire, la ruine était la forme élective d'une poésie commençant imperceptiblement à devenir consciente d'elle-même et affirmant à travers le trop et le peu de réalité de ses métamorphoses son inobjectivité essentielle.

Architecture en suspens, architecture de suspense, architecture suspendue à son devenir intérieur et lointain, la ruine n'est-elle pas la seule forme interrogative au moment même où l'on cherche justement à ce que les formes deviennent parlantes et parlant utilement ? On sait que sous la pression des idées nouvelles, la représentation de l'espace change très exactement dans la mesure où la recherche des lignes pures, l'exaltation de la géométrie élémentaire, le désir de trouver un principe des formes renvoient à une utilité idéale de l'architecture. Non pas tant utilité fonctionnelle qu'utilité proclamée et proclamante. À cet égard, l'architecture visionnaire de la fin du XVIIIe siècle est particulièrement éclairante, d'autant plus que c'est à elle et elle seule que l'architecture noire est comparable car une même irréalité les lie dans la houle de l'époque. Ne dérivent-elles pas de concert, même si on ne saurait concevoir plus grande dissemblance dans les lignes, dans les formes et surtout dans la destination – d'un côté exposée avec emphase par les architectes visionnaires, de l'autre dissimulée, tuée ou absente dans l'enchevêtrement et la prolifération des ruines ? Qu'il s'agisse du *Cénotaphe de Newton,* du *Palais municipal de la capitale d'un grand empire* de Boullée, du *Temple consacré à l'Égalité* de Lequeu, et surtout de la fameuse *Prison d'État* de Desprez qui s'élève comme un monument à la clarté, c'est la raison, c'est la vertu mises en forme, c'est l'éternité pétrifiée dans l'exposition du sens.

Mais l'irréalité de ces constructions tient à leur délirante spécialisation pédagogique. Encore que leur fonctionnalité excessivement déclarée semble les préserver de l'irréalité définitive qui fonde l'existence fantasmatique de la ruine.

Alors même que l'on cherche ainsi à faire coïncider rationalité et réalité jusqu'au délire, la ruine, par le caprice des espaces qu'elle engendre, accumule tous les torts dénoncés par ceux qui se flattent d'être les architectes d'un monde nouveau : « Il faut se défier de ces lignes mollement prolongées, de ces formes brisées à leur naissance qui s'écrasent sous le poids du faux goût, de ces corniches qui rampent comme des reptiles du désert », écrit Claude-Nicolas Ledoux. Voilà qui est clair et permet de mesurer à quel point la ruine s'élève en retrait de la réalité mentale s'apprêtant à triompher. Et plus particulièrement en ce qui concerne cette architecture visionnaire dont la portée symbolique est capitale dans la constitution de la sensibilité révolutionnaire et dont les dimensions fonctionnalistes et pédagogiques se confondent pour faire de l'espace le lieu d'exposition de principes redondants.

Je n'en veux pour exemple que ces considérations de Ledoux sur le plan de la Saline de Chaux : « Le plan général, tel qu'il est exécuté, rassemble à un centre éclairé toutes les parties qui le composent. L'œil surveille facilement la ligne la plus courte ; le travail la parcourt d'un pas rapide ; le fardeau s'allège par l'espoir d'un prompt retour. Tout obéit à cette combinaison qui perfectionne la loi du mouvement. » Il est significatif que ces esprits novateurs s'enflamment à concevoir des prisons. La prison est même la pierre de touche de cette fureur pédagogique qui s'empare des formes : c'est à travers elle que l'idéologie des Lumières s'efforce d'avoir raison de l'ombre et d'en maîtriser les pièges. Ainsi, Boullée, soucieux de pédagogie au point de concevoir un bâtiment prétexte à un « tableau des vices accablés sous le poids de la justice », projette de « disposer sous le palais [de justice] l'entrée des prisons : à ras de terre comme étant le sépulcre précaire des criminels ».

Ironie des formes, cette image comme tant d'autres pourra être lue à l'envers : quelle est donc cette justice qui repose sur le crime ? Quelle est donc cette architecture des Lumières qui repose sur la nuit captive du sépulcre imaginaire de Louis-Jean Desprez ou encore du *Mausolée proposé pour la sépulture de Voltaire et sa famille* par Lequeu ? Quelle est donc cette cité idéale qui repose sur « l'architecture ensevelie » de cette ville des morts projetée par Boullée ? Toujours est-il qu'à s'emparer absolument de l'espace, cette « architecture considérée sous le rapport de l'art, des mœurs et de la législation », comme le rappelle le titre du célèbre ouvrage de Ledoux, se développe en discours totalitaire, alors même que la ruine décourage toute lecture littérale, aussitôt condamnée à sombrer dans la nuit sur laquelle ouvrent ses arches indécises. Construction dont le sens se dérobe autant dans ce qu'il révèle, qu'il se révèle dans ce qu'il dérobe, la ruine s'impose comme une provocation muette et définitive.

Provocation d'autant plus grande qu'une fois l'architecte divin disparu de l'horizon, l'architecte humain ne cherche qu'à le remplacer et se faire le législateur incontesté de la sensibilité : « Quel mortel ne sent toute sa petitesse et ne se prosterne pas devant l'architecte, rival du Créateur », se plaît à rappeler Ledoux. Ce qui ne va pas sans une certaine folie comme en témoigne la maison de passe de la cité de Chaux, d'inspiration aussi hygiéniste que moraliste. « Cet empire de la volupté », composé de douze petites loges vouées à l'amour et entourant un bâtiment d'accueil dont la forme phallique ne trompe personne, Ledoux le décrit ainsi : « Ô fibre trop mobile, tu t'irrites ; l'artère accélère ses mouvements et rompt le fil qui soutient le principe de la vie. Où suis-je ? L'éclair du plaisir s'élance et la volupté asservit ces lieux pleins

...l'irréalité de ces constructions tient à leur délirante
spécialisation pédagogique.

Jean-Jacques Lequeu : *Ordre symbolique de la salle des États d'un Palais National,* 1789.

Les indications manuscrites précisent :

A. Entablement et frise où seraient attachés en demi-bosse des génies fleuronnés entrelacés avec des rinceaux de feuillages, armés de fusils, pistolets, épées, etc. chassant ce monstre d'une énorme grandeur et d'une forme effroyable qui parut vers le 12 juillet près le palais du souverain. Cette bête hideuse à mille têtes humaines vomissant le feu et la flamme mêlés d'une fumée noire, semblait se nourrir du sang des Français.

B. Bustes en ronde bosse qui portent sur un piédouche et un piédestal, représentent les uns les Seigneurs aristocrates, ces despotes fugitifs, les autres leurs complices subalternes, tous criminels de lèse-Nation enchaînés.

Q. R. Rosette de culasse du canon et bombe qui éclatent.

de charmes. » L'architecte démiurge a le projet avoué de maîtriser et contrôler tous les aspects de la vie. On remarquera ici encore que le fonctionnalisme évident sert d'abord à redoubler le propos pédagogique et que la folie du propos tient justement à cet éternel renvoi de la forme au discours et du discours à la forme, pétrifiant la vie dans une symbolique spectaculaire.

En ce sens, la ruine oppose autant à l'efflorescence des constructions rococo la masse de sa verticalité, qu'elle oppose son inachèvement, son vide infini à la plénitude pétrifiée et pétrifiante de l'architecture visionnaire. Telle est la vérité poétique de l'irréalité de la ruine : son « écart absolu » par rapport aux formes qui s'épuisent comme par rapport à celles qui s'ébauchent. Et, au moment où les rêves se font architecturaux, l'affirmation de cette distance est primordiale : découvrant le no man's land où surgit la ruine, elle laisse voir un en deçà commun et aux égarements du style rocaille et à la rigueur lumineuse de l'architecture rationnelle. Comme si constructions réelles et constructions imaginaires étaient également à la merci d'un même et obscur principe négateur d'où la ruine tirerait sa puissance poétique.

Car enfin on ne saurait compter le nombre des dénégations plastiques qui donnent à la ruine son assise fantasmatique. N'est-elle pas à la fois ce qu'on voit et ce qu'on ne voit pas ? N'est-elle pas en même temps ce passé immémorial qui inscrit l'avenir de chacun ? N'est-elle pas aussi l'énergie humaine s'opposant à la fureur destructrice de la nature, et l'énergie naturelle exaltant l'effort de l'homme bâtisseur ? Quelle autre forme est alors susceptible de rivaliser avec cet arc de haute tension se découpant sur le ciel vide ?

Mais c'est là que l'incroyable se produit : quand, à ne pas cesser de s'affirmer poétiquement à travers ce qu'elle n'est pas, ni naturelle ni artificielle, ni passée ni future, ni présente ni absente, la ruine devient soudain gothique. Non qu'elle se fige là dans un style mais bien au contraire parce que le gothique fascine alors justement de ne pouvoir être réduit à des critères stylistiques. Je ne reviendrai pas sur l'assimilation classique entre gothique et barbare. « C'est un ordre si éloigné des proportions et des ornements antiques que ses colonnes sont ou trop massives en manière de piliers, ou aussi menues que des perches avec des chapiteaux sans mesures, taillés de feuilles d'acanthe épineuse, de choux, de chardon, etc. », lit-on dans l'*Encyclopédie* en ce qui concerne l'ordre gothique. Je m'en tiendrai seulement à considérer l'intérêt pour le gothique, là où il outrepasse les limites d'une mode pour se développer en écho à la provocation sensible de la ruine et la répercuter jusqu'au vertige.

Rien n'est moins frivole que ce goût soudain pour le Moyen Âge, même si en Angleterre aristocrates et bourgeois s'arrachent les talents des architectes et des paysagistes, tels que William Stukeley, William Kent, Batty Langley, Sanderson Miller. Même si créneaux, ogives, clochetons, tourelles, recouvrent les façades, envahissent les jardins et même la maison puisque lits, chaises, bibliothèques deviennent aussi gothiques. Rien n'est moins superficiel pourtant que cette mode gothique car la découverte simultanée des romans de chevalerie et de l'architecture médiévale n'est imputable ni aux bizarreries de quelques gens du monde ni au caprice scientifique de quelques érudits. Quand on s'enthousiasme pour les monuments gothiques, c'est pour établir, à la suite de William Stukeley en 1724 et surtout de Warburton en 1751, qu'il s'agit là d'une architecture née de la forêt comme le redira fortement Goethe à propos de la cathédrale de Strasbourg en 1772. Quand on se passionne pour la littérature du Moyen Âge, c'est pour en arriver à mettre en lumière un lien de cause à effet entre les progrès de la civilisation et un affadissement des mœurs,

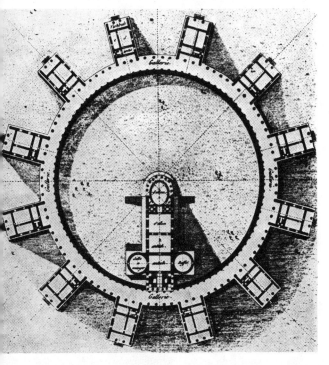

..la maison de passe de la cité de Chaux d'inspiration aussi hygiéniste
que moraliste...

Claude-Nicolas Ledoux : Plan de la *Maison du Plaisir* de la cité de Chaux, vers 1775.

un vieillissement de l'imagination. Ne faut-il donc pas que le regard ait suffisamment changé pour *lire* dans ces anciens textes une épopée de l'intensité, pour *voir* le caractère « naturel » de ces constructions?

En fait, même surchargés des oripeaux moralistes dont le siècle continue d'encombrer les lieux mythiques, les vestiges médiévaux ne parlent pas de bonheur mais d'intensité. Si la cathédrale gothique fascine, c'est qu'elle « fait naître à l'esprit des idées de grandeur, en raison de ses dimensions, de sa hauteur, de sa terrible obscurité, de sa robustesse, de son âge, et de sa résistance », comme le souligne Hugh Blair, dans ses *Lectures on Rhetoric and Belles Lettres;* c'est que l'âge d'or évoqué par le gothique n'est pas un modèle mais une perspective qui incite à la recherche de l'éperdu. Voulant parfois se justifier, ceux qui se laissent fasciner par le gothique, n'invoquent-ils pas indifféremment les livres sacrés, Spenser, Shakespeare, l'Antiquité, Ossian, les romans de chevalerie et même les Égyptiens pour la seule raison que les uns et les autres paraissent témoigner d'une même « hardiesse au-dessus de l'humain » ou encore d'une « élévation de sentiments que ne sauraient avoir des hommes entourés d'images petites et mesquines, et qui s'emprisonnent dans des habitations conformes à la faiblesse, et pour ainsi dire à l'*épargne* de leur existence ». Voilà bien le maître mot prononcé par Baculard d'Arnaud dans sa *Lettre sur Euphémie* : le gothique fascine autant qu'il s'oppose radicalement à cette épargne et que son architecture peut passer pour la cristallisation cohérente de tout ce qui dans l'homme combat cette épargne sensible.

Il s'ensuit que le gothique devient soudain à la fois et la figuration et la préfiguration de l'espace intérieur qu'on cherchait aveuglément. Objet trouvé dans l'histoire des formes, le château gothique s'avère être l'au-delà de la ruine mais du même coup il échappe à son enracinement historique. Il n'est plus l'antériorité de la ruine mais le devenir lyrique de sa forme interrogative. Il n'est plus la totalité précédant le fragment mais l'inachèvement engendrant son espace infini. Il n'est plus le décor d'un bonheur perdu mais le lieu menacé et menaçant où viennent déferler tous les questionnements de la vie en quête d'elle-même.

Relisons une des lettres que Mrs. Carter écrit à une de ses amies vers les années soixante : infatigable visiteuse de vestiges médiévaux, elle se plaît surtout à raconter ses errances « sous des arches gothiques à peine éclairées par de faibles lampes, avec tous les vents du ciel qui sifflent à [ses] oreilles, et l'écho de [ses] propres pas qui [la] suit, et le bruit grave et sourd de la porte que l'on ferme [23] ». Vibrant à la moindre sensation, avide d'en découvrir d'autres, cette jeune femme n'est plus une simple promeneuse mais une frôleuse d'apparences.

Et c'est alors que pris comme support d'une fiévreuse quête de sensations nouvelles, le château gothique échappe très vite à l'érudition, celle-ci ne servant plus qu'à énerver l'imagination. Les érudits eux-mêmes sont emportés par une exaltation qui les fait remettre en question l'esthétique classique, formuler des conceptions neuves sur la poésie et le merveilleux, auquel on attribue le pouvoir d'entraîner « dans le labyrinthe magique de l'imagination », ainsi que le dit Thomas Warton dans *The Pleasures of Melancholy*. Labyrinthe d'autant plus fascinant qu'on y découvre de nouveaux parcours le long desquels les repères historiques du décor s'estompent jusqu'à ce que l'image de la forêt se superpose à celle du château, pour se fondre en une seule et même image d'une forêt-château ou d'un château-forêt où l'on est sûr de s'égarer, et ceci au moment même où s'affirme une théorie de l'égarement à travers la notion de Sublime, développée par Burke en 1756 [24].

« Tout ce qui est propre, de quelque façon que ce soit, à exciter des idées de douleur et de danger, je veux dire tout ce qui est, de quelque manière que ce soit, terrible, épouvantable, ce qui ne roule que sur des objets terribles, ou ce qui agit de manière à inspirer la terreur, est une source de *sublime*; c'est-à-dire, qu'il en résulte la plus forte émotion que puisse éprouver l'esprit. » Et encore « la passion que produit ce qu'il y a de grand et de sublime dans la nature, lorsque ces causes agissent avec le plus de force, est *l'étonnement. L'étonnement* est cet état où l'âme saisie d'horreur jusqu'à un certain point, voit tous ses mouvements comme suspendus... C'est de là que vient le grand pouvoir du Sublime, qui bien loin d'être la conséquence de nos raisonnements, les prévient, et nous entraîne sans que nous puissions nous y refuser ».

Aussi variées que soient les sources du sublime répertoriées par Burke qui les découvre dans les registres les plus divers – qu'il s'agisse de la terreur, du pouvoir, de la grandeur et de l'étendue, de la privation, de l'infinité, de l'obscurité, de la lumière, de la couleur, du son, de l'odorat, du goût, du noir, de l'infini artificiel... – elles ont en commun d'ôter « à l'esprit le pouvoir qu'il a d'agir et de raisonner ». Formulant cette loi qui régirait la perception du Sublime, Burke rend compte de cette catégorie esthétique comme d'une passion.

Ainsi, à l'inverse de Kant qui verra plus tard, dans le « sentiment du sublime dans la nature », « le respect pour notre propre destination, respect que nous témoignons à un objet de la nature par subreption en quelque sorte (par substitution du respect pour l'objet au respect de l'humanité en nous), cet objet nous faisant voir pour ainsi dire par intuition la supériorité de la destination rationnelle de nos facultés de connaître sur le pouvoir le plus grand de la sensibilité [25] », Burke ne théorise pas un mouvement de l'esprit mais décrit un comportement sensible qui détermine déjà tous les méandres de l'errance gothique. En effet, reposant sur les flottements, les erreurs de la sensation, la passion du sublime contient la fièvre gothique puisque l'une et l'autre témoignent d'une recherche délibérée d'un dérèglement de la sensibilité. Opposé à la beauté dont chaque manifestation s'inscrit

comme point de réconciliation avec le monde, le sublime
– tout comme la ruine gothique – surgit au point du
plus grand égarement par rapport au monde et à soi-
même. Là où Kant cherchera un sens, Burke constate
une fuite de sens qu'aucun raisonnement ne peut réduire
puisque celle-ci n'est appréhensible que par la sensibilité
jouissant de son propre excès.

Toutefois, l'intérêt de l'exposé de Burke, qui présente
l'avantage de fixer par une patiente analyse ce qui s'affirme obscurément sur le plan sensible, est ailleurs : pour
avoir réussi à présenter la catégorie esthétique du sublime
comme une passion, il part de cette nouvelle réalité
passionnelle pour fonder une esthétique de l'excès qui
tend, inconsciemment, à réhabiliter les figures de la folie
et de la déraison, alors même que l'une et l'autre
commencent à être perçues médicalement comme l'aveuglement de l'esprit à sa propre sensibilité et que la réalité
clinique s'applique de plus en plus à les relier à la faute
morale et à les enfermer dans une problématique du
mal.

Qu'on ne s'étonne pas de voir ces inquiétantes figures
revenir en force fasciner un individu incertain de lui-
même et du monde, n'hésitant pas à se reconnaître dans
leurs reflets contradictoires. Qu'on ne s'étonne pas de les
voir affluer vers la nuit gothique où sensibilité et sensation
se recouvrent dangereusement. Qu'on ne s'étonne pas
enfin que la sensibilité collective ait déterminé ce point
de déroute comme le seul emplacement possible de la
seule construction susceptible d'abriter le rêve européen.

Mais j'y insiste : le château gothique est devenu en
quelques années l'au-delà de la ruine, non pas tant à
cause d'une manifeste parenté formelle mais par suite
d'une naïveté théorique qui a brusquement réhabilité
l'architecture gothique chez beaucoup d'esprits, en réalité
aussi peu férus d'architecture que d'histoire. Je veux
parler de cette fameuse hypothèse selon laquelle les Goths
cherchèrent dans leurs constructions une réplique de la

144

forêt. Et je ne résisterai au plaisir de citer ce qu'en a dit Chateaubriand dans le *Génie du Christianisme,* bien après Goethe et surtout Warburton :

« Ces voûtes ciselées en feuillages, ces jambages qui appuient les murs, et finissent brusquement comme des troncs brisés, la fraîcheur des voûtes, les ténèbres du sanctuaire, les ailes obscures, les passages secrets, les portes abaissées, tout retrace les labyrinthes des bois dans l'église gothique; tout en fait sentir la religieuse horreur, les mystères et la Divinité... Les oiseaux eux-mêmes semblent s'y méprendre, et les adopter pour les arbres de leurs forêts : des corneilles voltigent autour de leurs faîtes, et se perchent sur leurs galeries. Mais tout à coup des rumeurs confuses s'échappent de la cime de ces tours, et en chassent les oiseaux effrayés. L'architecte chrétien, non content de bâtir des forêts, a voulu, pour ainsi dire, en imiter les murmures; et, au moyen de l'orgue et du bronze suspendu, il a attaché au temple gothique jusqu'au bruit des vents et des tonnerres, qui roule dans la profondeur des bois. »

Sublime naïveté ou remarquable intuition poétique, toujours est-il qu'à travers cette hypothèse lyrique, l'architecture gothique a trouvé sa puissance sensible : surgie au point de rupture entre l'homme et la nature, elle est la seule construction qui ne nie pas la nouveauté de ce tragique mais au contraire en fait la raison ardente de ses formes tourmentées. Et le charme que l'architecture gothique aura violemment exercé sur les esprits du XVIIIe siècle, c'est au vertige de ces échanges incessants entre la nature et l'artifice qu'il faut l'attribuer. « Ni ailes ni pierres : ailes et pierres », c'est ainsi que Toyen a intitulé une série de dix-sept dessins que je tiens parmi les plus bouleversants du XXe siècle. La poésie passe dans cette tension inobjective de la non-contradiction. Tension qui structure tout le rêve gothique. Tension éclairant à chaque fois de ses fulgurances tout le champ de la pensée. Tension du non-mensonge s'exerçant au point le plus mobile du paysage, là où le vent est si fort qu'aucune solution idéologique ne peut résister; là où l'être se cabre sur son propre néant, là où la nuit intérieure prend sa source et disparaît; là où le filon noir affleure à l'état pur. Là où notre modernité n'a pas fini de rôder. C'est pourquoi les indications laissées par Walpole à propos de la construction de son *Château d'Otrante* nous sont encore précieuses : pour la première fois l'espace noir s'y est trouvé défini.

Nouveau portrait
de la mélancolie, de face, de profil
et de l'intérieur

Grand seigneur, quelque peu libertin, membre du Parlement, Horace Walpole achète en 1748 une petite ferme dans les environs de Londres. Compte tenu de la mode gothique dans la société anglaise d'alors, rien de surprenant à ce que Walpole décide l'année suivante de donner à Strawberry Hill une allure médiévale.

Caprice de riche, coquetterie d'esthète, dandysme qui consisterait à modeler son habitation au gré de son humeur? Tout cela sans doute au début : « J'imagine que votre âme et votre château se ressemblent comme deux gouttes d'eau par leurs singularités, par leurs richesses, et je n'oserais dire par leurs bizarreries; quand on est en état de satisfaire tous ses goûts, toutes ses fantaisies, on peut juger des hommes par leurs équipages, leurs habitations, leurs vêtements, etc. Tout fait physionomie », lui écrit Madame du Deffand le 27 février 1771.

Jusqu'à l'acquisition de Strawberry Hill, Walpole n'avait manifesté qu'un intérêt d'homme cultivé pour l'architecture gothique. Pourtant lorsqu'il écrit à Horace Mann, dès janvier 1750 : « Je vais construire un petit château gothique à Strawberry Hill. Si vous pouviez me trouver quelques fragments de vieux vitraux avec des armes ou autre chose, je vous en serais infiniment obligé », commence pour lui une aventure sensible et mentale qui va l'entraîner à se livrer progressivement à un pillage systématique des images, des objets, des formes gothiques, afin d'élaborer une demeure qui, plus que la sienne, va devenir celle de ses désirs.

Pendant les trois années qui suivent la décision de 1749, Walpole prélève quelques idées, quelques objets dans le fonds gothique récemment redécouvert. Et ce pourrait encore n'être là que les coûteuses fantaisies d'un homme du monde. Toutefois, si en 1753 Strawberry Hill ne se distingue pas vraiment des nombreuses « fabriques » gothiques qui s'élèvent un peu partout en Angleterre et sur le continent, la présence hétéroclite dans la « salle d'armes » – petit vestibule qu'il décrit à son ami Mann – « de vieilles cottes de mailles, de boucliers indiens faits de peau de rhinocéros, d'épées à double tranchant, de carquois, de longs arcs, de flèches et de lances », laisse à penser que l'aménagement de Strawberry Hill dépend plus pour Walpole d'un modèle intérieur que d'un souci d'exacte reconstitution historique. Comme si là ce que Walpole poursuivait, se manifestait déjà au-delà de l'espace gothique. Comme si s'affirmaient là pour la première fois certaines forces hétérogènes au projet initial.

On peut même supposer que Walpole en mesure inconsciemment le danger, puisque après 1750 il s'applique un peu trop, semble-t-il, pour l'homme détaché qu'il est, à se jouer et à jouer la comédie du spécialiste passionné. C'est alors en effet qu'il commence à s'intéresser très sérieusement à l'architecture médiévale, courant chaque été les vestiges gothiques, surveillant avec un mépris de connaisseur les constructions rivales, ne cessant d'acquérir un très réel savoir sur le Moyen Âge. Mais ne s'agit-il pas là d'un masque commode pour dissimuler une activité de plus en plus fiévreuse, de nature quasi obsessionnelle, dont Walpole cherche manifestement à se défendre, affectant de prendre la distance de l'humour à l'égard de son château « en papier » ou

du « château de ses ancêtres qu'il est en train de construire »
comme il l'écrit à ses amis?

La réalité est que l'aménagement de Strawberry Hill
ne se termine pas : tout se passe comme si, de 1750 à
1764, l'activité architecturale de Walpole reproduisait
un travail de rêve, prélevant certes ses éléments dans la
réalité gothique, mais pour les juxtaposer, les déplacer,
les condenser au gré d'une cohérence obscure qui cherche
de plus en plus à se manifester en provoquant une notable
accélération du processus. Ainsi Maurice Lévy note qu'en
1763 Walpole a terminé sa galerie dont le plafond est
« imité de celui de la chapelle d'Henri VII à Westminster
Abbey » et qui, d'un côté, présente une série de « ren-
foncements en forme de niches, surmontés de dais copiés
sur une tombe de Canterbury [26] ». À tel point qu'il n'est
pas d'aménagement à Strawberry Hill qui ne soit le
résultat de cette activité de collage et de bricolage.
Toutefois, l'accélération du processus annonce une
nouvelle utilisation du décor. Si Strawberry Hill avait
été une « folie » comme une autre, après quelques années
Walpole s'en serait contenté sinon lassé. Dès 1754, il
aurait pu en effet être déjà satisfait de sa bibliothèque
gothique, de sa « salle d'armes », de sa grande tour, des
créneaux qui ornent les murs de son château. Pourtant,
en 1758, il songe à construire un « grand cloître ». En
1760, il décide d'agrandir sa demeure de moitié. En
1763, la « chapelle » est terminée. Et durant ces quinze
années au cours desquelles Strawberry Hill ne cesse de
s'accroître, une insatisfaction grandissante marque la correspondance de Walpole : à mesure que son château
occupe de plus en plus son esprit, il insiste continuellement sur les dimensions restreintes de son « tout petit
château », on le sent de plus en plus torturé par le fait
que tout y est faux. Et l'orgueil blessé du collectionneur,

la lucidité sans complaisance de l'érudit, ne suffisent pas à expliquer le douloureux sentiment de manque qui semble s'être emparé de ce dandy.

En fait, Strawberry Hill a depuis longtemps échappé à l'ordonnance gothique et agit comme un révélateur qui dévoile à Walpole une réalité inconnue de lui-même, tapie jusqu'alors dans les limites incertaines de l'eau dormante des douves médiévales. Sismographe camouflé sous un style mais d'autant plus capable d'enregistrer les vibrations les plus profondes, Strawberry Hill est et reste un instrument de mesure qui ne peut que décevoir Walpole impatient de trouver une demeure à la démesure de ce qui le hante.

Aussi, Walpole ne s'arrête-t-il pas de *corriger* Strawberry Hill jusqu'à cette nuit de juin 1764 où une main de géant, gantée de fer, se pose dans son rêve sur la rampe du grand escalier de son château, esquissant en surimpression un autre château, *Le Château d'Otrante,* sombre, insaisissable, gigantesque, dont Strawberry Hill n'est que l'ombre portée. Nul doute que ce château-là avait depuis toujours présidé à l'élaboration de Strawberry Hill, mais de très loin, puisqu'il lui avait fallu tant d'années pour devenir perceptible à Walpole, pour renverser les murs de la vie quotidienne, investir Strawberry Hill et en bouleverser complètement les perspectives. Encore que la violence du rêve aura été en outre nécessaire pour que Strawberry Hill se transforme en *Château d'Otrante* comme en témoigne Walpole dans sa lettre du 9 mars 1765 à son ami William Cole :

« Voulez-vous que je vous dise quelle est l'origine de ce roman? Un matin, au commencement du mois de juin dernier, je me suis éveillé d'un rêve, et tout ce dont j'ai pu me souvenir c'est que je m'étais trouvé dans un vieux château (rêve très naturel à un esprit rempli, comme l'était le mien, de « romance » gothique). Sur la rampe la plus élevée d'un grand escalier, j'ai vu une main gigantesque revêtue d'une armure. Le soir même,

La réalité est que l'aménagement de Strawberry Hill ne se termine pas...

je me suis assis et j'ai commencé à écrire, sans savoir le moins du monde ce que j'allais dire ou raconter. En somme, j'étais si absorbé par mon récit (achevé en moins de trois mois) qu'un soir j'ai écrit depuis le moment où j'ai pris le thé, vers six heures du soir, jusqu'à une heure et demie du matin et que mes doigts étaient alors si fatigués que je ne pouvais plus tenir la plume. »

À la suite de ce rêve, deux mois de travail continu sont nécessaires à Walpole pour rendre compte des gonflements, des cassures, des prolongements, des excroissances qui vont déterminer la forme imaginaire, c'est-à-dire réelle de son château. Et quoi qu'en pense Maurice Lévy [27], c'est à juste titre qu'André Breton a vu dans l'apparition du *Château d'Otrante* que « le message obtenu, qui va décider de tant d'autres par leur ensemble au plus haut point significatifs, ne peut être mis au compte que de l'abandon au *rêve* et de l'usage de *l'écriture automatique* [28] ». Et ce, justement à propos de ces *Limites non-frontières du surréalisme* où Breton, reposant une nouvelle fois la question des châteaux, s'interroge sur « l'élaboration du *mythe collectif* propre à notre époque au même titre que, bon gré mal gré, le genre " noir " doit être considéré comme pathognomonique du grand trouble social qui s'empare de l'Europe à la fin XVIIIᵉ siècle [29] ».

D'autant plus que le caractère *moderne* de l'élaboration d'*Otrante* ne réside pas seulement dans la méthode utilisée mais aussi et surtout dans le rapport à l'objet que celle-ci inaugure : ce monument a émergé de la brume des apparences parce qu'un regard s'est fait assez audacieux pour scruter l'abîme qui sépare le peu de réalité de ce monde et le trop de réalité de la pensée, parce qu'un regard s'est fait assez aigu pour mesurer l'exiguïté du réel et la démesure de la pensée. En d'autres termes, *Le Château d'Otrante* est né d'une affirmation de la représentation mentale au détriment de la perception et cela suffirait à faire de ce lieu archaïque le point de départ de la modernité.

Car avant ce rêve de 1764 qui va changer le paysage imaginaire, où trouver plus profonde mise en cause de l'objet perçu, en même temps que plus irréfutable affirmation de l'objet imaginaire? « Apparition, pour la première fois, de l'objet comme héros, apparition de l'image concrète, totale. La poésie s'accommode de l'absence de conflits. Une négation supérieure. Tout est comparable à tout. Et *dans la cour du château cet enfant écrasé et presque enseveli sous un gigantesque heaume, cent fois plus grand qu'aucun casque jamais fait pour un être humain et couvert d'une quantité proportionnée de plumes noires,* c'est déjà *la rencontre fortuite sur une table de dissection d'une machine à coudre et d'un parapluie* », écrit Éluard dans sa préface pour *Le Château d'Otrante.*

Mais tout reste encore à dire de cette « négation supérieure » tant qu'on ne précise pas le rôle essentiel de la couleur noire dans ce qui la fomente. À commencer par l'aménagement de Strawberry Hill qui pourrait être confondu avec la tentative d'assombrissement d'une trop riante demeure. Dès 1753, Walpole ne dit-il pas, dans sa lettre du 27 avril à son ami Mann, son désir de donner à son château « la ténébreuse atmosphère des abbayes et des cathédrales »? Quant aux vitraux qu'il ne cesse de chercher, n'est-ce pas autant pour assombrir le cloître, la galerie, la bibliothèque que pour en parfaire le caractère gothique? Sans doute ne saurait-on suspecter la véritable passion pour le gothique qui s'empare de Walpole. Pourtant ses continuelles et sévères critiques à l'égard des amateurs ou architectes comme Langley mais aussi Miller et même Capability Brown, qui inventèrent motifs et « fabriques » gothiques au gré de leur fantaisie, ne laissent pas d'étonner chez quelqu'un qui se contente de copier ici une fenêtre, là une galerie, ailleurs une ogive sur de véritables ruines gothiques. Comme le remarque Maurice Lévy « le " *vrai faux* " de Strawberry Hill en même temps qu'il fait son orgueil, ne cesse de le tourmenter [30] ». J'irais plus loin en supposant qu'en dépit de son sentiment aigu de l'authenticité gothique, Walpole supporte ce « vrai faux » autant qu'il lui sert à se rapprocher de l'obscurité sensible qui le hante. Et le principal défaut de Strawberry Hill aurait moins été de n'être pas une authentique construction gothique que de ne pouvoir produire la ténébreuse lumière que Walpole tente de retrouver en courant chaque été les ruines gothiques de son pays. De ce point de vue, *Le Château d'Otrante* serait le précipité ténébreux que Strawberry Hill n'aurait jamais pu être du seul fait de sa littéralité. Hypothèse d'autant plus troublante que le surgissement d'*Otrante,* une fois Strawberry Hill apparemment terminé, viendrait alors illustrer la très agitante thèse de Burke, contemporain de Walpole, sur « la différence qui se trouve entre la Clarté et l'Obscurité, à l'égard des passions ».

C'est en effet dans ses *Recherches philosophiques sur l'origine des idées que nous avons du Beau et du Sublime,* parues en 1756, que Burke affirme pour la première fois la puissance poétique de l'obscurité, s'appuyant surtout sur *La Bible* et *Le Paradis perdu* de Milton. Le terme de *clarté* renvoyant à ce qui est déterminé et, *a fortiori* concret, l'*obscurité,* condition nécessaire du sublime, évoque un certain flottement de la perception qui suscite une intervention de l'imagination et qui est, pour Burke, le point de départ de toute démarche poétique : « ...je demanderais que l'on remarquât qu'il y a à peine quelque chose qui frappe l'esprit par sa grandeur, qui n'approche pas un peu de l'infinité. Rien ne peut produire cet effet, tant que nous pouvons en apercevoir les bornes. Voir un objet distinctement, et en découvrir les bornes, ne sont qu'une et même chose. Il s'ensuit de là qu'une idée claire n'est en d'autres termes qu'une petite idée. » En ce sens, il manquait à la clarté concrète de Strawberry Hill d'être recouverte, enveloppée, engloutie par l'immense obscurité d'*Otrante.*

On n'a pas fini de mesurer les incidences de cette lutte lyrique entre l'ombre et la lumière qui continue de façonner notre sensibilité. Et tout porte à croire alors qu'entre l'élaboration de Strawberry Hill et le surgissement d'*Otrante,* un curieux combat a été livré. Un furieux combat entre un style et une couleur. Le style gothique favorisant le déferlement de la couleur noire, et la couleur noire s'imposant à mesure qu'elle effaçait les particularités du style gothique. Un combat qui aura duré seize années pour Walpole comme si le prétexte gothique était le trompe-l'œil inespéré, l'ultime défense, le dernier masque, avant que ce libertin en vienne à considérer le noir qui l'habite.

Car on a beau s'en aller répétant que *Le Château d'Otrante* est le premier roman gothique, je ne sais si on en dirait autant à la seule lecture du petit livre de Walpole, ignorant et l'aventure de Strawberry Hill et la supercherie du manuscrit trouvé grâce à laquelle l'auteur s'ingénie, dans la préface de la première édition, à mettre le lecteur sur cette fausse piste médiévale. *Otrante,* le premier roman gothique? Peut-être, mais comment ne pas remarquer que Walpole, soucieux pendant des années de l'authenticité de chacun des détails de sa demeure, se montre bien imprécis en ce qui concerne l'agencement du *Château d'Otrante*? Comment ce spécialiste de l'architecture gothique se contente-t-il d'évoquer de manière aussi floue la structure du *Château d'Otrante* : « La partie inférieure du Château était ménagée dans un dédale de cloîtres obscurs et il n'était pas facile pour une personne si angoissée de trouver la porte donnant sur la caverne. Des rafales de vent, répercutées en écho dans cet interminable labyrinthe de ténèbres, rompaient seules, de temps à autre, l'effroyable silence de ces lieux souterrains en faisant battre et grincer sur leurs gonds rouillés les portes qu'Isabelle avait déjà franchies. Le moindre bruit la frappait d'une terreur nouvelle... »? Et si les contemporains de Walpole, amateurs et érudits du Moyen Âge, s'accordent à reconnaître l'allure gothique de son livre, c'est plus à cause du récit, des prodiges et des personnages qui le rapprochent du roman de chevalerie que de l'architecture d'*Otrante* proprement dite, s'imposant surtout par sa masse ténébreuse et non pas par son exactitude stylistique. Quant à l'insistance de Walpole dans sa correspondance à souligner les éventuelles ressemblances entre *Otrante* et Strawberry Hill, elle paraît d'emblée sujette à caution, telle une ultime tentative de faire coïncider coûte que coûte l'exiguïté de cette « souricière gothique » dont parle Beckford et l'indétermination de ce « gloomth », de cette obscurité qui obsède Walpole et qui a sécrété *Otrante*.

Impossible tentative. *Le Château d'Otrante* n'existe qu'à partir du moment précis où la couleur noire déborde le prétexte gothique; à partir du moment où le noir s'empare de l'intrigue, des personnages, des prodiges et les loge, telles des pièces motrices, dans une architecture du désir et du désespoir. « *Le Château d'Otrante* est un drame plastique, la forme la plus amère, la plus rugueuse, mais aussi la mieux taillée du malheur en amour. Seuls immortels, les désirs vont leurs chemins, malgré d'extraordinaires obstacles, malgré les rideaux du sang et les miroirs vides, la nature exclue, l'existence approximative, la vue inutile, les ancêtres vomis par l'Enfer, malgré la peur, l'héroïsme, la férocité, malgré le marbre des tombeaux et les squelettes, les désirs sans cesse au fil de la mort, cherchent à briser avec l'imaginaire », écrit encore Éluard.

Le Château d'Otrante est ce drame plastique au cours duquel une pensée explore son espace, une couleur découvre la forme qu'elle va prendre, le noir devient le seul et unique matériau dont on fera désormais le château. Mais comment? En provoquant à tout moment ces dénégations plastiques en chaîne qui nous ont paru caractéristiques de la mécanique sadienne. Ici aussi, il n'est pas de couloir qui ne mène à un escalier, qui ne mène à un cloître, qui ne mène à une porte, qui ne mène à un caveau, qui ne mène à une trappe... En même temps qu'elle clôt toutes ces échappatoires, l'obscurité ouvre toutes les portes.

Et ç'est le sens même de ce drame plastique dont parle Éluard que de faire surgir, voire coïncider, à l'intérieur du même espace imaginaire les deux pôles qui vont décider de la poésie moderne. Je veux parler du lyrique et du mécanique. Et le plus grand mérite du *Château d'Otrante* est d'avoir établi, à travers sa naïveté structurelle, leur commune origine noire. Entre ces portes qui se ferment au gré d'un implacable mécanisme ou qui s'ouvrent au gré d'une irrépressible tempête lyrique, circule la même obscurité. C'est cette obscurité et elle seule qui donne à la folie mécanique son caractère inéluctable, de même que c'est elle et elle seule qui rend fatale l'exaltation lyrique. Au point même qu'on pourrait envisager le noir comme la seule figuration possible de la tension extrême entre les solutions contradictoires que l'homme en quête de lui-même s'essaye à trouver du plus profond de sa solitude. Obscurité du désir, obscurité de la liberté, obscurité de la vérité. Mais entre la passion réductrice et la passion de l'excès qui écartèlent l'univers sadien, ne retrouve-t-on pas la même nuit? Comme entre l'automate et les grands maudits qui ne vont cesser d'opposer leurs silhouettes sur l'horizon du XIXe siècle, on retrouve le même désespoir. Comme entre le vertige du nombre et le vertige de l'infini qui déterminent aujourd'hui encore notre champ sensible, on retrouve les mêmes ténèbres.

Oublieuse de ce centre obscur, la poésie n'est plus qu'un assemblage indifférent de mots ou d'images. Ce qui se produit aujourd'hui nous en donne de trop nombreux exemples pour que nous n'insistions pas sur la nécessité, je dirais même sur l'urgence poétique, d'empêcher l'occultation imperceptible de ce centre de gravité noir. Axe de vertige, contradiction pivotale œuvrant au cœur du discours, c'est cet appel de vide qui donne sens à la parole, c'est-à-dire qui la situe sur fond de néant au point même où la violence de son surgissement est indissociablement liée avec la révolte contre ce qui est.

Je ne sais si les précisions sur les « effets du Noir » apportées par Burke dans son curieux traité permettent de mesurer l'enjeu de ce drame plastique esquissé pour la première fois dans *Le Château d'Otrante*. Néanmoins, on peut en supposer les implications métaphoriques : « Le *noir* n'est qu'une obscurité imparfaite ; c'est pourquoi il tire quelques-uns de ses pouvoirs du mélange des corps colorés qui l'environnent. Dans sa nature on ne peut pas le considérer comme une couleur. Les corps noirs ne réfléchissent que peu de rayons, ou point du tout, à l'égard de la vue ; c'est ce qui fait que ce ne sont qu'autant d'espaces vides, répandus çà et là parmi les objets que nous voyons. Quand l'œil tombe sur un de ces vides, après avoir resté dans une certaine tension qui occasionnait le jeu des couleurs voisines, il tombe tout à coup dans un relâchement, dont il se remet presque aussitôt par un effort convulsif. »

Autrement dit, entre l'instant du relâchement et celui de la convulsion, le noir est la couleur du vide. Rien d'étonnant alors à ce que le château gothique se creuse infiniment au moment où le noir l'investit. La structure expansive de l'architecture noire dont la progression cellulaire est esquissée dans *Otrante* sera d'ailleurs par la suite une des caractéristiques du genre. Il n'est pas de roman frénétique qui n'obéira à ce mode d'expansion délirant. Car poursuivant son analyse en recourant à l'image de la marche manquante, Burke ne craint pas d'aggraver sa proposition du noir comme expérience du vide pour en faire en même temps la couleur de ce qui se dérobe. En ce sens, le château fermé au monde et ouvert sur la nuit intérieure n'est que la mise en forme de cette double qualité du noir. Et *Otrante* aura été le premier exemple de cette aventure plastique au cours de laquelle naît un objet imaginaire surgissant au point le plus obscur du paysage, au bord de l'énigme. Évoquant les effets physiques du noir, Burke n'affirme rien d'autre : « ...je veux dire aussi que quand un organe des sens est affecté pendant quelque temps d'une certaine manière, s'il est affecté tout à coup différemment, il s'ensuit un mouvement convulsif, une de ces convulsions qui sont causées quand il arrive quelque chose à quoi l'esprit ne s'attend pas ».

En effet, devant cette surprise de l'esprit, devant la marche qui manquera toujours, la pensée est sans recours si ce n'est poétique. Et les objets imaginaires constituent la seule et unique réponse à cet égarement de l'esprit à lui-même. Là réside d'ailleurs tout le secret de leur naissance convulsive : ils surgissent du vide pour donner forme au vide. Construction provisoire pour avancer sur le néant, construction inventée pour affronter l'informulé, construction interrogative pour trouver le sens. Les objets imaginaires sont toujours des constructions de première nécessité, garde-fous que l'esprit place au bord de son propre abîme. Et leur surgissement désigne très exactement le carrefour problématique où viennent se confondre aventure plastique, aventure sensible et aventure métaphysique.

« J'ai laissé courir mon imagination, les visions et les passions m'échauffaient. Je l'ai fait en dépit des règles, des critiques et des philosophes ; il me semble qu'il n'en vaille que mieux », dit très simplement Walpole à Madame du Deffand, le 13 mars 1767. Seulement surgi entre l'individu et l'infini de son désir, *Le Château d'Otrante* n'invite-t-il pas aussi à la transgression de ce qui fait de lui un lieu clos ? N'a-t-il pas aussi la forme d'un défi auquel il ne peut être répondu qu'en s'aventurant à l'intérieur de la bouche d'ombre qu'il dessine sur la face du monde? Solitaire pendant de longues années, ce château qui s'est construit en silence, loin de la lumière du jour, quand les rafales de vent éteignent les flambeaux, se dresse déjà comme « le plus beau portrait de la mélancolie qui ait jamais été fait », ainsi que le dira le frère de Walpole lui rendant l'hommage le plus juste et le plus troublant. Car l'acuité des yeux du rêveur de juin 1764 a précisément saisi les figures de ce qui se dérobe derrière les brouillards de la mélancolie, faisant tout d'un coup d'*Otrante* le premier monument de l'incroyance. Comme si le regard portait soudain au-delà du « mal du siècle » et de sa rhétorique. Comme si *Otrante* était le premier portrait sur fond de vide.

Premier monument de l'incroyance quand, sur l'éperdu de cet horizon mental, *Otrante* constitue l'esquisse du lieu imaginaire où avec les années on va se retirer de plus en plus pour voir quelle nuit travaille la silhouette humaine. Soudain le château est devenu l'instrument approprié pour interroger la terrifiante nouveauté d'une liberté infinie. Car malgré son extrême discrétion, Walpole est clair sur ce point : ne se contentant pas de dire, dans la préface à la deuxième édition, avoir voulu « laisser à la fantaisie créatrice pleine et entière liberté de s'aventurer dans l'infini domaine de l'imagination et d'apporter ainsi des situations plus intéressantes », il précise qu'il lui a suffi pour cela de « mener les acteurs de son drame selon les règles de la vraisemblance; en un mot de les faire penser, parler et agir comme on pourrait supposer que des hommes et des femmes réels agiraient dans des situations extraordinaires ».

Et ce faisant, Walpole nous donne la clef de son château mais aussi de tous les châteaux qui vont lui succéder : c'est à l'irréalité du château que la réalité humaine va se trouver mise à l'épreuve. Voilà déterminé pour la première fois le lieu où le vertige de la liberté poétique va servir à affronter le vertige de la liberté humaine.

TROISIÈME PARTIE

« *Le Néant parti, reste le château de*
la pureté. »

Stéphane Mallarmé

« Je suis persuadé, écrivait Walpole à Madame du Deffand en 1767, que dans quelque temps d'ici, quand le goût reprendra sa place que la philosophie occupe, mon pauvre château trouvera des admirateurs. » Mais quel goût? Il aurait été sans doute bien difficile à Walpole d'y répondre quand, encore préoccupé en 1784 de la consécration de sa « chose frénétique » dont il parle à Hannah More, il ne semble guère en imaginer les répercussions déjà profondes. Car contrairement à ce qu'ont coutume d'en penser les spécialistes, ce goût n'attend pas Anne Radcliffe pour se manifester. Je dirais même qu'entre la publication du *Château d'Otrante* en 1764 et le premier roman d'Anne Radcliffe *Les Châteaux d'Athlin et de Dunbayne* en 1789, ce goût, justement si peu défini, semble s'affirmer au gré d'une convergence quasi hypnotique des regards vers les lieux clos. Et c'est moins dans l'insipide *Vieux Baron Anglais* de Clara Reeve, paru en 1778 (histoire « ouvertement imitée du *Château d'Otrante,* mais ramenée à la raison et à la probabilité », comme Walpole se fait un plaisir de le souligner à son ami Mason en avril 1778), que dans *La Religieuse* de Diderot rédigée quelques années plus tôt (on sait que ce texte écrit en 1760 ne paraîtra qu'en 1796), dans les troubles rêveries monastiques de Baculard d'Arnaud, dans les *Miscellaneous Pieces in Prose* en 1773

165

d'Anna Laetitia et John Aikin, ou encore dans le ténébreux drame amoureux raconté par Sophie Lee dans *Le Souterrain* en 1783, qu'on peut déceler l'avancée d'une même sensibilité sombre aussi étrangère aux enjeux de la raison qu'à ceux du sentiment. Et pourtant le roman noir ne s'oppose pas vraiment au champ défini par ces deux lignes de force qui déterminent alors le paysage sensible et intellectuel. Il leur est perpendiculaire, ouvrant peu à peu sur l'horizon prometteur de cette fin du xviiie siècle des perspectives inattendues par leur obscurité grandissante.

Obscurité problématique, obscurité motrice mais aussi obscurité subversive, favorisant la venue d'une nuit romantique qui va s'empresser de s'en différencier, si ce n'est de la nier. Et là telle est peut-être la véritable question des châteaux qui prend aujourd'hui toute son ampleur, quand certains « nouveaux philosophes » impatients de retrouver une foi perdue et de conjurer les démons qui les ont une fois trompés, n'ont pas de mots assez durs pour dénoncer le courant noir et se moquer des naïfs à rebours qui ont cru y trouver une alternative révoltée à l'assurance des Lumières. Mais il me paraît un peu court de rejeter Sade à la trappe ainsi que le fait André Glucksmann en affirmant dans *Cynisme et passion* : « Plus encore que les grandes fresques historico-mondiales du xixe siècle, c'est l'indifférence sans héroïsme qui va suivre, l'acceptation passive et la culture bureaucratique de la banalité du mal que dévoile D.A.F. de Sade... Sade sème à tous vents les poussières de sa spiritualité thermonucléaire – thèse n° 1 : je détruis donc je suis, je suis donc je détruis [31] »; ou encore de prétendre avec l'assurance de Michel Le Bris que cette obscurité-là serait en quelque sorte la gangrène des Lumières puisqu'« on y trouve déjà en abondance toutes les variantes susceptibles de ranimer les sensations émoussées de nos rationalistes : orgies au fouet, prostitution forcée, cannibalisme, viols de femmes enceintes, bébés broyés au mortier.

Comme dira Sade : *Tout le bonheur de l'homme est dans son imagination...* [32] ». Décidément, il paraît bien difficile d'échapper aux chromos d'un Sade précurseur de la bureaucratie du crime ou au contraire d'un libertinage échevelé dont les conséquences ne semblent pas avoir fini d'échauffer les imaginations des plus moralistes. Et il est dommage que des esprits, soucieux de débusquer la monstruosité idéologique à son origine, fassent si peu de cas de ce « fond tout noir à contenter » en chacun dont parle si judicieusement Delacroix, et qui, faute de l'avoir été, devient justement le repaire de la bête immonde. Car ce n'est pas l'alternative entre Foi et Terreur devant laquelle nous place Michel Le Bris – après bien d'autres, il faut le dire – qui peut effacer la fascinante horreur d'une image catastrophique de la liberté née avec l'incroyance, ne cessant depuis lors de figurer dans ses innombrables plis d'ombre le risque majeur de la pensée.

Que peut donc le volontarisme mystico-poétique dans lequel Michel Le Bris semble chercher sa force de conviction, nous assenant ses doses massives de Présence et de Sens à coup de majuscule, devant cette obscurité qui fonde la violence même de la pensée ? Que peuvent donc ses exhortations à se tourner vers Autrui quand, en deçà de toutes les tentations de rencontrer l'autre, fût-ce dans la destruction, le genre sombre dévoile insupportablement un vide constitutif du cœur humain, fascinant noyau d'absence qui autorise les paris les plus insensés – et peut-être aussi celui d'aimer ? Que peuvent enfin ici et là ces brûlants encouragements à transcender les forces du démonisme – (et telles seraient les premières manifestations théoriques de la nouvelle vague moraliste qui semble devoir s'abattre sur la fin de ce XXe siècle), quand le romantisme allemand lui-même ne les a pas reconnues, bel et bien transcendées sous le masque de l'Histoire comme le remarque Maurice Blanchot : « Il n'est pas besoin d'insister sur ce qui est bien connu : c'est la

Révolution française qui a donné aux romantiques alle-mands cette forme nouvelle que constitue l'exigence déclarative, l'éclat du manifeste. Il y a entre les deux mouvements, le " politique " et le " littéraire ", un très curieux mélange. Les révolutionnaires français, quand ils écrivent, écrivent ou croient écrire ainsi que des classiques et, tout pénétrés du respect des modèles d'autrefois, ils ne veulent nullement porter atteinte aux formes tradi-tionnelles. Mais ce n'est pas aux orateurs révolutionnaires que les romantiques vont demander des leçons de style, c'est à la Révolution en personne, à ce langage fait Histoire, lequel se signifie par des événements qui sont des déclarations : la Terreur, on le sait bien, ne fut pas seulement terrible à cause des exécutions, elle le fut parce qu'elle se revendiqua elle-même sous cette forme majus-cule, en faisant de la terreur la mesure de l'histoire et le logos des temps modernes [33]. »

Non que j'oublie un seul instant la distance prise justement par les romantiques allemands avec le poli-tique. « Ne va pas gaspiller foi et amour dans les choses politiques, mais tu te réserveras pour le domaine sacré de la science et de l'art », dit Friedrich Schlegel. Et c'est là peut-être la nouveauté même du romantisme que d'avoir tout mis en œuvre pour faire surgir une parole non transitive, ne cherchant rien à dire d'autre que sa propre essence. Mais à le dire toutefois avec un souci d'efficacité, une exigence théorique qui me semble congé-dier soudain l'obscurité pourtant à l'origine de cette parole. Étrange opération ou processus trop limpide qui nous concerne beaucoup plus qu'on ne saurait déjà le penser puisque « ...nous avons tous, encore et toujours, conscience de la *Crise* et nous sommes tous persuadés qu'il faut " intervenir " et que le moindre texte est immé-diatement " opératoire "; nous pensons tous que le poli-tique passe, comme si cela allait de soi, par le littéraire (ou le théorique) : le romantisme est notre *naïveté* », disent avec beaucoup d'acuité Ph. Lacoue-Labarthe et

168

J.-L. Nancy dans leur avant-propos à *L'absolu littéraire, théorie de la littérature du romantisme allemand* [34]. Ne se pourrait-il pas aussi, dans le même sens, que le surréalisme ait continué de porter cette « naïveté » jusqu'à nous?

Mais est-ce bien grave? Ne s'agit-il pas d'un problème simplement littéraire? Cette « naïveté » est-elle si inquiétante? Je serais tentée de le croire quand d'un côté l'imaginaire me semble reculer chaque jour un peu plus sous les coups d'une exigence de plus en plus théorique, ne cessant d'être la caricature d'elle-même depuis une cinquantaine d'années. Je ne m'attarderai pas à cette exorbitante prédominance de la théorie sur tout ce qui est censé ressortir du domaine sensible. N'est-on pas d'ailleurs arrivé à ce ridicule qu'il n'est pas de peintre en vue qui n'ait *son* philosophe, Monory-Lyotard, Fromanger-Foucault, Velickovic-Le Bot, ...nouveau signe extérieur de réussite picturale qui serait seulement dérisoire, si cette prédominance de la théorie ne contribuait pas à installer un règne sans partage de la technicité, comme l'a établi Jacques Ellul dans ses analyses de la société contemporaine. Et le structuralisme structurant ce joli programme, la vie sensible tend à devenir affaire de spécialiste, de technicien, de pédagogue. L'artiste accède au rôle de spécialiste d'un divertissement qui reproduit à l'infini les structures du monde technicien. Il suffit que ça parle, que ça écrive, que ça peigne. Avec ce terrible corollaire que ce formalisme technicien est aujourd'hui en mesure d'absorber sans dommage les expressions les plus radicales. Il semblerait même s'en nourrir avec prédilection comme pour mieux éprouver sa propre robustesse. C'est en ce sens qu'il faut considérer l'exaltation rhétorique de la négativité à laquelle on convie de se joindre des masses de plus en plus nombreuses. Les plus révoltés sont en passe de devenir les meilleurs amuseurs. La boucle est bouclée. Mieux cela fonctionne, plus le sens s'éloigne et plus le camouflage idéologique tend à épaissir. Il s'ensuit une esthétique de la surenchère

169

dont nous ne connaissons que trop les tristes performances. Le désespoir, la révolte, la solitude enfin à la portée de tous les conforts. Les ténèbres disparaissent au profit de l'aseptisation formaliste. Le monde sensible est une usine qu'une radieuse génération d'artistes-spécialistes fait tourner pour nous. Grâce à eux, la surenchère du spectaculaire remplace avantageusement l'excès de la pensée. Alors est-il encore vraiment utile de porter le regard vers la naïve construction du roman noir?

Je le pense, pour l'obscurité qu'elle recèle et qui n'en finit pas de résister du plus profond de la souveraineté humaine. Sinon, qu'y aurait-il dans ces livres de si inconvenant qu'il faille attendre la fin du XIXᵉ siècle et ses tempêtes mentales pour que ce courant noir réapparaisse avec Baudelaire, Rimbaud, Lautréamont, et change résolument le cours de l'aventure poétique? Qu'est-il dit là d'également incompatible avec les Lumières, la morale du sentiment, la Révolution française et aussi enfin avec le romantisme allemand? Qu'est-il dit là pour que tous s'y opposent plus ou moins consciemment, quand bien même cette voix obscure semble faire écho aux préoccupations de tous? Car on ne peut nier le fait qu'entre 1789 et 1820 l'Europe ne s'est pas lassée de lire et relire ces livres noirs qui envahissent les bibliothèques comme si une multitude de sensibilités avaient parcouru séparément, pendant ces quelques décennies, le même chemin frénétique, sans pour autant s'arrêter aux mêmes étapes. Voyage sensible, et non plus sentimental, voyage critique dans la houle de temps critiques, il n'est pas de roman noir qui n'en livre l'itinéraire sinueux. Reste à savoir pourquoi une époque entière dans le silence des cœurs et le secret des têtes n'a pu s'empêcher de le suivre.

Un parcours,
un détour, un recours

« Vers le minuit... je me plaçai dans une litière que je trouvai dans une des cours et la laissai aller sans même m'informer de ma destination. Je voyageai ainsi presque sans relâche pendant deux jours et deux nuits... », raconte la jeune héroïne du *Souterrain* de Sophie Lee [35]. La vertu ne saurait voyager autrement dans le roman noir, et c'est avec cette inconscience que lecteurs et héros quittent la vie quotidienne le plus naturellement du monde, sans prendre garde à l'étrangeté de leur départ. Mais qu'auraient-ils à redouter? Au début, la vie se présente à eux sous les couleurs les plus avenantes : « les paysans de ces heureux climats, quand leur travail était fini, venaient souvent sur le soir danser en groupe sur le bord de la rivière. Les sons animés de leur musique, la vivacité de leurs pas, la gaieté de leur maintien, le goût et le caprice des jeunes filles dans leur ajustement, donnaient à toute la scène un caractère vraiment français [36] ». Sans doute, ont-ils tendance – mais comme la plupart des personnages romanesques de la deuxième moitié du siècle – à s'éloigner des endroits civilisés pour chercher « les lieux les plus sauvages, les scènes les plus pittoresques [37] » et pour admirer la nature et « ses beautés grandes et sublimes [38] ». Rien d'étonnant à cela, on le sait, à ce moment de l'histoire, il n'est pas de paysage qui ne soit inquiété par la proximité virtuelle de la « grande nature ».

Et au fur et à mesure qu'on avance dans l'âge des Lumières, des nuages de plus en plus sombres s'amoncellent jusqu'à ce que montagnes et cascades surgissent de l'horizon, crevant soudain la surface plane d'un monde que de hardis arpenteurs s'entêtent encore à mesurer.

Le roman noir commence dans cet entrelacs de lignes et de formes qui altère spectaculairement la représentation de la nature à la fin de l'âge classique. À cet égard, il n'innove en rien, entraînant vers la même forêt que celle où tout le siècle se retrouve. Et ses lecteurs ne paraissent pas plus exiger au départ que cet acheteur de tableaux qui commandait à J. Vernet « une tempête bien horrible..., des cascades sur des eaux troubles, des rochers, des troncs d'arbres et un pays affreux et sauvage ». Néanmoins, une à une, de pâles héroïnes s'y lèvent pour reproduire, semble-t-il, à un rythme accéléré le long cheminement au cours duquel est en train de se modifier le regard que l'homme porte alors sur lui-même et sur le monde. La topographie mouvementée du chemin emprunté par ces jeunes personnes pourrait constituer une remarquable anthologie du « sentiment de la nature » au XVIIIᵉ siècle. Un chercheur appliqué se plairait même à en retrouver les aspects contradictoires mais noterait toutefois un progressif assombrissement du paysage qui ne serait pas sans l'inquiéter : il y verrait des éléments ailleurs épars se rassembler pour dessiner les étapes successives d'un parcours retraçant ou servant à rejouer la déroute émerveillée et terrifiante de chaque individu devant une nature livrée à elle-même, ou plus exactement devant une nature dont on découvre l'impétuosité première dès lors que l'organisation divine de l'univers est mise en doute.

Mais dans le roman noir, une étrange hâte s'empare de tous les mouvements. Les paysages rassurants s'égrènent vite le long du chemin, ponctuant en contrepoint furtif la mise en place d'un décor de plus en plus enveloppant. « Le chemin devenant trop raide et trop étroit pour une voiture, ses guides descendirent et l'obligèrent à descendre ; elle les suivit sans résistance aucune comme un agneau qu'on va sacrifier... [Les] bosquets laissaient voir par intervalles une riche plaine au-dessous, bornée par les montagnes de l'Abruzze. Chaque pas eût offert un plaisir à une âme tranquille », prend soin de noter Anne Radcliffe dans *L'Italien ou le Confessionnal des Pénitents noirs* [39]. L'évocation de la nature riante contribue seulement ici à rendre plus sensible par contraste l'impression de séparation qui se confirme au fil du voyage. Les derniers lambeaux solaires s'effilochent à mesure qu'on avance, jusqu'à ce qu'on perde enfin même le souvenir du bonheur. Peu à peu, forêts, orages, montagnes enserrent personnages et lecteurs dans un réseau d'angoisses d'abandon et de fusion. Jusqu'à ce qu'enfin désertée de toute trace d'humanité, la nature s'ouvre béante comme un dangereux appel de vide entraînant vers une série d'identifications archaïques.

Encore une fois, rien de vraiment nouveau si ce n'est la hâte. Et aussi le fait qu'on ne se prive d'aucun artifice pour rendre le caractère essentiellement traumatique du parcours entrepris. Ainsi, en va-t-il du voyage haletant de l'innocente Ida : « Nous avions déjà marché depuis quelque temps, lorsqu'il me jeta un voile fort épais sur la tête ; il me couvrait si parfaitement le visage, qu'il était impossible que je pusse distinguer le chemin que nous prenions. Nous passâmes dans des lieux qui me parurent en friche, ainsi que sur des décombres de pierres ; nous montâmes, nous descendîmes, je crus quelquefois m'apercevoir que je respirais l'air de la campagne ; dans d'autres moments, j'entendais l'écho retentissant des voûtes sous lesquelles nous passions ; nous descendîmes enfin trente marches, que je comptai, je ne sais pourquoi ; on m'ôta mon voile, et je me trouvai dans un endroit sombre et obscur d'où je ne pouvais rien distinguer [40]. »

La densité de la nuit se fait mouvante pour mieux refermer sa masse incohérente sur le voyageur ; les points de repère sont absorbés par cette houle naturelle. Des êtres et des choses, on ne connaît plus que frôlements ou chocs. Autant d'engloutissements progressifs ou accidentels de la verticalité au cours desquels l'angoisse de la séparation et la terreur de l'abandon sont sans cesse rejouées. Que le chemin monte ou descende, on ne distingue jamais où il mène, les arbres disparaissent dans la mouvance de la forêt qui enferme dans une errance aveugle. Comme si la nature « faite à l'image de Dieu » se trouvait ici inexorablement amputée de son principe organisateur et du même coup à la merci des forces obscures qui la travaillent depuis toujours.

Mais n'est-ce pas le même sentiment, dédramatisé ou plus exactement conjuré par la réflexion encyclopédiste, qui entraîne à ce qu'on a appelé une « démathématisation » de la philosophie de la nature? Diderot n'avance-t-il pas dans l'*Interprétation de la nature* qu'« avant qu'il soit cent ans, on ne comptera pas trois géomètres en Europe », sous prétexte qu'« il n'y a rien de précis en la nature... Rien n'est de l'essence d'un être particulier »? Toutefois, c'est à la raison, en tant que principe actif, expansionniste et non plus statique, que l'on s'en remet pour restructurer le monde. C'est encore sur elle que l'on mise pour élever sur la table rase de la sensation une nouvelle silhouette humaine. Espoir insensé qui renvoie à la faiblesse même des fondements de la raison, récemment entrevue à travers la critique des grands systèmes philosophiques du siècle précédent. Et la fébrilité de l'activité encyclopédiste pourrait être une façon de tromper cette insupportable hypothèque : ne semble-t-on pas tout attendre de la philosophie justement parce que c'est en elle que l'unité de l'esprit est le plus spectaculairement apparue menacée et que c'est par elle que cette unité semble pouvoir être sauvée? Seulement pour tous ceux qui par inclination, fatigue ou manque de moyens, ne peuvent se résoudre à cette reprise volontariste de l'esprit sur lui-même, le désarroi est immense : dans le vide obscur et mouvant de l'univers, on avance sans savoir à quoi se retenir. Les premières étapes du roman noir sont là pour en témoigner : implacablement tout se dérobe. Et c'est alors, comme en dernier recours, que l'imagination entre en jeu, très exactement au point où la raison s'affole.

Au plus profond de la forêt, la fluidité du cheminement se brise bientôt contre un élément solide. Soudain, on n'est plus porté mais projeté vers l'irréductible : « Le soleil se couchait alors derrière la montagne même qu'Émilie descendait, et projetait vers le vallon son ombre allongée; mais ses rayons horizontaux, passant entre quelques roches écartées, doraient les sommités de la forêt opposée, et brillaient sur les hautes tours et les combles d'un château, dont les vastes remparts s'étendaient le long d'un affreux précipice... quoique éclairé maintenant par le soleil couchant, la gothique grandeur de son architecture, ses antiques murailles de pierre grise, en faisaient un objet imposant et sinistre... Isolé, vaste et massif, il semblait dominer la contrée. Plus la nuit devenait obscure, plus ses tours élevées paraissaient imposantes [41]. » Comme à un récif de haute stature, c'est tout d'un coup au cœur minéral de la forêt que l'on se heurte, avec la violente révélation que celui-ci ne participe pas du courant mais l'organise. Découverte toujours traumatique laissant à penser qu'à la place de la solution attendue, la sensibilité se trouve affrontée à un espace radicalement autre, au fond duquel elle risque à tout moment de sombrer : « ...nous fîmes un assez long chemin... je regardai à la portière mais il faisait déjà trop sombre pour distinguer les objets... Bientôt après, nous nous aperçûmes, à l'inégalité du chemin et au son retentissant du pied des chevaux que nous passions sur un pont de bois, après quoi la voiture s'arrêta. Lorsque nous

175

fûmes descendues, nous nous trouvâmes dans une grande cour; où l'on voyait rôder dans l'ombre des sentinelles, mais point de lumières ni de domestiques. Les passages sombres qu'on nous fit traverser, semblaient plutôt conduire à une prison qu'à un palais [42] ».

Quel est donc cet étrange parcours qui mène par des chemins connus de tout le siècle non plus seulement à des ruines mais à une construction curieusement dissimulée ailleurs que dans ces livres? Un tel cheminement aurait-il pour fin de rendre visible ce que tout le siècle dans sa mélancolique fuite en avant s'efforce de ne pas voir? Et ce château auquel se heurte soudain le voyageur ne surgit-il pas là où le regard habituellement se perd, très exactement à ce point de fuite autour duquel s'organisent aussi bien les paysages de F. Towne, de Wright of Derby, de Vernet, de Cozens, de Wolf, d'Hubert Robert, que les correspondances ou mémoires de l'époque dont la sensibilité tremblée peut être indifféremment celle de Mirabeau, Condorcet ou Marat? Enfin ne redonne-t-on pas là brutalement à voir l'angoissant « portrait de la mélancolie », esquissé quelques décennies plus tôt par Walpole, et dont l'ombre plane sur les pensées de tous ceux qui cherchent dans le spectacle de la nature cette « débauche de sentiments mystérieux, inexplicables », évoquée par J.-P. Picqué? Enfin, surgi au milieu de l'espace sensible commun, le château noir ne serait-il pas le *monument manquant* au paysage du siècle?

D'abord, on ne laisse pas d'être surpris du fait que l'imagination plurielle reprenne à son compte une construction dont le modèle a été conçu dans la solitude aristocratique de Strawberry Hill. Mais ce serait oublier que les premières grandes dérives lyriques, qu'il s'agisse de la poésie des ruines, des méditations sépulcrales, tournent autour de lui sans le faire apparaître, suggérant seulement dans la brume qui les accompagne sa silhouette crépusculaire. Faut-il en déduire que le génie pluriel, dans son anonymat, dévoile ce sur quoi la subjectivité de tel ou tel regard glisse pour faire apparaître d'autres figures, moins précises mais non moins saisissantes et dont la multiplicité peut même masquer une construction décisive? Toujours est-il que les scènes, les paysages, les sentiments évoqués ailleurs au gré des épanchements du cœur, prennent place ici dans une structure rigoureuse et que leur organisation compulsive, d'un livre noir à l'autre, dessine un itinéraire que toute expression subjective refuse et empêche de percevoir dans la précision mécanique de son déroulement.

À l'exception de Sade dont le génie en l'occurrence serait justement d'avoir pris possession de ce château qui fascine les uns et les autres mais que personne n'a l'audace de reconnaître pour sien. Et peut-être surtout d'avoir substitué au mécanisme inconscient qui a fait surgir ce monument manquant, un mécanisme de dénégation systématique, nous l'avons vu, qui enracine cette masse de ténèbres au centre même de sa pensée. Différence essentielle mais certainement pas irréductible comme le souhaitent toujours les détracteurs du genre sombre, ne manquant jamais de brandir la monstruosité de Sade contre « ce que, après l'avoir lu, on n'ose plus appeler le roman noir [43] ». Pourtant une telle manœuvre dissimule mal ce qu'elle voudrait cacher : en excluant Sade de l'univers noir, elle parvient seulement à réduire la démarche de celui-ci à une aberration individuelle et le genre sombre à une aberration collective. L'aberration reste commune d'autant que, toutes proportions gardées, elle prend les mêmes couleurs, se développe dans des lieux qui ne sont pas sans se ressembler et ouvre dans un cas comme dans l'autre un espace problématique.

Sur ce point, il ne fait aucun doute, qu'au monument clair et rassurant que s'efforce de construire la philosophie des Lumières, le roman noir s'oppose en monument ténébreux qui pourrait être la cristallisation de ce que la pensée philosophique s'avère incapable d'appréhender. « Tout ce qui n'est pas puisé dans le sein même de la nature, dit La Mettrie, tout ce qui n'est pas phénomènes, causes, effets, science des choses en un mot, ne regarde en rien la philosophie, et vient d'une source qui lui est étrangère [44]. » N'est-ce pas précisément sur les contours accidentés de cette source d'ombre que le château du roman noir prend appui, à la fois pour en dissimuler et en sonder l'« étrangeté » ?

Car enfin, aussi menaçantes qu'apparaissent ces insondables concrétions d'ombre, ni la tendre Émilie [45], ni l'aimable Amanda [46], ni le sensible Edmond [47] ne se laissent jamais arrêter par leur peur et franchissent, sans s'y opposer vraiment, le seuil des plus redoutables bâtisses : « Pendant que les roues tournaient avec fracas sous ces herses impénétrables, le cœur d'Émilie fut prêt à défaillir : elle crut entrer dans sa prison. La sombre cour qu'elle traversa confirmait cette idée lugubre et son imagination, toujours active, lui suggéra même plus de terreur que n'en pouvait justifier la raison [48]. »

On peut s'étonner de cette épouvante devant la seule forme fixe, vraisemblablement espérée au plus profond de la dérive. Entre les arbres de la forêt d'ombres où avance un homme en quête de lui-même, le château ne se dresse-t-il pas aussi comme un refuge sécrété par la nature ? En fait, le franchissement de son seuil ne modifie en rien le parcours commencé. Il l'aggrave seulement, obligeant les imprudents voyageurs à avancer de plus en plus fiévreusement dans un dédale de couloirs obscurs, de salles voûtées. Portes et verrous soudent après leur passage les grands anneaux de nuit dont ils deviennent progressivement captifs. Contraints d'abandonner définitivement sur les marches de la nuit jusqu'au souvenir de la vie courante, ils vont entreprendre à leur insu une lente descente au fond d'eux-mêmes. Les escaliers s'enfoncent sous la terre du réel, les couloirs fouillent l'ombre et emportent vers des lieux de plus en plus réduits. On assiste à un spectaculaire resserrement de l'espace ; les décors s'emboîtent les uns dans les autres à

178

...*surgi au milieu de l'espace sensible commun, le château noir ne serait-il pas le* monument manquant *au paysage du siècle?*

John Martin : *Le Barde*, 1817.

mesure qu'on les traverse, obéissant à un mécanisme qui suggère un tragique renversement de perspective quand on songe au désir d'infini qui est à l'origine de ce parcours. Qu'on ne s'y trompe pas : un même mécanisme régit la lente montée vers le château et la descente involutive à l'ombre de ses murailles. Et voilà peut-être une des insupportables découvertes que le siècle s'efforce de ne pas faire. Non pas que l'asile soit une prison, que les choses ne soient jamais ce qu'elles semblent être. Ce qui équivaudrait à une expérience systématique du leurre dont l'intérêt serait bien mince au milieu d'une époque rompue à tous les arts de l'apparence. Mais tout acquiert une dimension autrement inquiétante quand il s'avère que le leurre porte sur la réalité elle-même, ou plutôt sur toutes les données psychiques, intellectuelles, sensibles qui fondent alors l'idée même de réalité. Je veux parler de la nature à laquelle tous, sans exception – des esprits les plus rationalistes aux âmes les plus sensibles –, se réfèrent absolument. Sade lui-même n'accorde-t-il pas une place prépondérante à l'idée de nature, quand bien même son plus vif souci est d'en affranchir l'esprit humain ?

Or que se passe-t-il dans le roman noir ? Les uns après les autres, des héros incertains découvrent que le cœur de la forêt est vide, que leur voyage va au-devant de l'artifice, que la nature n'est qu'un leurre de plus – leurre mesurable, leurre descriptible, leurre admirable suivant qu'on a l'esprit froid ou sensible – mais leurre qui n'en ramène pas moins l'homme à la prison de sa solitude. Au-dedans, au-dehors, il n'y a pas de différence. Il n'est pas de détour qui ne ramène inexorablement vers le même néant.

Je ne sais si on peut mesurer aujourd'hui l'ampleur transgressive de cette découverte : que la nature n'existe pas plus qu'un décor. C'est ni plus ni moins le monde s'effondrant en son centre. Comme si au lancinant désir de table rase qui travaille le siècle, l'imagination plurielle opposait la radicalité d'une mise en abîme à l'intérieur de la construction la plus spectaculairement naturelle.

D'où l'indicible épouvante qui s'empare des héros du roman noir à la vue de cette construction illusoire imposant avec violence la réalité de son caractère illusoire. Et du même coup, le chemin jusqu'alors emprunté inconsciemment prend un sens : si leur course les a menés à cette immense conque d'ombre qui se prête à toutes les ruses du vide, c'est que leur progressive découverte de la « grande nature » s'est confondue avec une série d'enfermements qu'ils ont subis sans prendre garde.

Tout d'abord, quand ils ont quitté les contrées habitées pour ne plus rencontrer que de rares paysans ou ermites hébétés, vivant déjà en deçà du langage, n'est-ce pas la possibilité de communiquer qui s'est refermée derrière eux ? Puis le monde s'est progressivement clos : les tempêtes, les orages, les forêts ont été autant de murailles de feu, d'eau, de ténèbres conjuguant leurs pouvoirs pour les prendre au piège d'un mécanisme de plus en plus rapide. Une fois le seuil du château franchi rien ne change : la topographie intérieure est calquée sur celle de la forêt. L'enchevêtrement des souterrains égare comme l'enchevêtrement végétal, l'apparition du moindre flambeau déchire la nuit et inquiète avec la même fulgurance que les orages du dehors... Seulement, à l'intérieur, tout devient insupportablement concentré et ostentatoire. Comme si les héros du roman noir se trouvaient progressivement contraints de voir fonctionner de plus en plus près le processus d'enfermement dont ils sont captifs. Comme si leur captivité s'accomplissait dans le fait de voir cette captivité qu'ils ne voulaient pas voir.

Prise de conscience d'autant plus terrifiante que ce mécanisme contredit violemment la métaphore expansionniste qui sous-tend alors tous les développements contemporains de la philosophie de la nature. En effet, même si les images de chaîne, de réseau, de ramification, de série, servent à la fois à suggérer des ensembles obtenus par déformation, atténuation d'un type originaire, ou au contraire résultant d'une progression qui annonce déjà l'évolutionnisme, on retrouve sous toutes ces images le même désir d'établir à travers la diversité des êtres et des phénomènes un mode de liaison unique ou de saisir un dynamisme unique. Et c'est justement au moment où s'affirme cette volonté philosophique de gagner du terrain, de repousser les limites de la connaissance, que dans le roman noir le sol se dérobe sans cesse jusqu'à réduire l'homme à un minuscule point d'égarement dans la gigantesque coquille de son angoisse.

Et pourtant, cette oppressante descente à l'intérieur des murailles du château qui continue et précise dans un espace de plus en plus obscur, de plus en plus dense, de plus en plus utérin, le parcours commencé à l'extérieur, n'expose-t-elle pas que le désir de connaître la nature ramène l'homme dans la nuit d'une terrible interrogation sur lui-même? L'apparente docilité des héros de ces livres dissimule au lecteur distrait, comme à eux-mêmes, la réalité de cette quête qui est celle de tout le siècle, quelque opposés que soient les chemins pris. Sans doute, tous ces vertueux voyageurs ne cessent-ils de se laisser prendre au piège d'un décor que leur passage tétanise en ondes concentriques. Mais s'efforçant de marcher sans savoir où ils vont, ils n'en décrivent pas moins une rigoureuse trajectoire, faite de la succession d'épreuves de plus en plus rapprochées et de plus en plus difficiles à surmonter. Épreuves de l'eau, du feu, du fer, qui rattachent peut-être le chemin du roman noir à une lointaine tradition initiatique. Ce qui confirmerait la part importante du bricolage inconscient dans la détermination de l'espace noir.

Ainsi, à l'avancée apparemment prudente et raisonnable des sciences physiques et morales contemporaines, le roman noir oppose un parcours semé d'embûches que rien ne paraît pouvoir déjouer. Au moment où Volney, par exemple, écrit dans *Les Ruines* : « Par la loi de sa sensibilité l'homme tend aussi invinciblement à se rendre heureux que le feu à monter... Son obstacle est son ignorance qui l'égare dans les moyens, qui le trompe sur les effets et les causes », les périls encourus par les voyageurs du roman noir établissent au contraire que les effets n'ont aucun rapport avec les causes, que l'homme sensible avance irrésistiblement vers son malheur. Enfin, alors que la pensée philosophique se fait un principe de se replier dans le doute et l'incertitude dès qu'un obstacle se présente à elle, chaque progression dans ces livres est ponctuée par un interdit qu'il faut transgresser, ainsi que le malheureux Albert, *L'Héritier orphelin*, en fait la cruelle expérience, errant comme tant d'autres de caveaux en caveaux et ne songeant qu'à « les traverser promptement » pour enfin heurter un mystérieux « coffre d'un bois épais » d'où surgit « une flamme subite » [49].

Mais autant le doute philosophique, qui met l'esprit en suspens et sert à le stimuler, est-il un acte de volonté, autant la transgression noire apparaît-elle comme passive. On s'étonne que ces infatigables personnages continuent imperturbablement à avancer. Quel désir, jamais formulé, les pousse donc à aller au-devant d'eux-mêmes et à affronter l'horreur de la nuit primordiale? Que cherchent-ils donc tous? À l'intérieur du château, ils continuent à déployer une stupéfiante activité, errant sans cesse, se heurtant aux murs les plus épais mais qu'ils franchissent cependant, souvent au péril de leur vie, après avoir découvert une issue inespérée. Ils avancent inébranlables et ne semblent perdre espoir – qu'il s'agisse d'Edmond égaré dans la forêt et « de plus en plus embarrassé... dans les buissons [50] », ou d'Ellena et Vicentio arrêtés dans leur course à travers les souterrains d'un sinistre couvent par une porte imprévue [51] – qu'au moment où se produit un ralentissement dans le mécanisme de substitution d'un obstacle à l'autre. À tel point que leur progression pourrait être confondue avec la succession mécanique, plus ou moins rapide, d'une série d'objets de remplacement, comme si le surgissement de l'obstacle, entraînant à chaque fois un resserrement de l'espace, servait à retarder le dévoilement d'un vide vers lequel on avance terrifié.

Parallèlement à la plénitude qu'exalte Diderot en affirmant que « tout animal est plus ou moins homme; tout minéral est plus ou moins plante; toute plante est plus ou moins animal », le roman noir déploie à l'infini ses cages de vide. Et à la chaîne de correspondances fécondes qui enrichissent l'univers d'une multiplicité de sens, répond un écho caverneux qui s'amplifie avec la complexité grandissante de ces constructions imaginaires. Celles-ci présentent en effet la curieuse faculté de s'approprier les failles d'une pensée trop sûre d'elle-même pour en faire les arcs-boutants du vide. Réduisant le rapport de l'homme au monde à un mécanisme de substitution, elles annoncent de façon saisissante une crise de la représentation qui renvoie à une mise en cause de la raison et de ses pouvoirs d'appropriation.

Pourtant, on serait bien mal venu de voir dans cette critique inconsciente un quelconque défaitisme. Au contraire même puisque cette critique s'oppose aux impérialismes conjugués de la raison et du sentiment en mettant en œuvre une obscure énergie qui transforme les personnages les plus insignifiants en intrépides explorateurs du cœur humain. Tel est d'ailleurs le principal ressort dramatique de ces livres, ouvrant pour la première fois au désir les perspectives illimitées et sublimes de son néant. Autre façon de dire que le rien et le tout font ici irruption dans l'histoire de la sensibilité. Irréductibles et sauvages, ils commencent à l'intérieur même du roman noir à frapper de dérision toute pensée qui ne part pas de leur affolante réalité. Alors inconsciemment, le regard se porte de plus en plus vers ces étranges voyageurs, paraissant de plus en plus près d'atteindre ce qu'ils cherchent et qui se dérobe obstinément dans les ténébreuses entrailles d'un château imaginaire.

Et voilà qu'au plus loin de la philosophie des Lumières et des doctrines du sentiment, recherchant sous la multiplicité des êtres une continuité des formes, le parcours du roman noir conduit à la perception hagarde d'une dissolution des formes mais aussi de l'être qui en a la brusque révélation : « une chaleur intense se joignait au désordre de mon imagination et rassemblait autour de mes yeux mille formes fantastiques... Il me semblait alors sentir mon sang bouillir dans mes veines, mais bientôt, il se portait lentement vers les sources de la vie et j'éprouvais un froid mortel [52] ». C'est cet instant absolu qui écarte l'espace du roman noir de tous les autres paysages imaginaires du siècle, parce qu'il correspond à l'appréhension du point-limite qu'ailleurs on s'efforce de ne pas atteindre, parce qu'il figure, dans son horreur et sa splendeur, le moment redouté et désiré d'une fusion avec la nature ou de l'affolant embrassement de l'individu et de l'univers dont toute l'époque rêve sans jamais pouvoir s'y résoudre pour la raison que l'idée même de l'homme y sombre corps et biens. Moment d'égarement sublime où le héros n'est plus rien que la force motrice d'un mécanisme qui entraîne le lecteur dans un tourbillon de vide, d'absence définitive jusqu'à le plaquer au décor comme l'infortunée Sophie « presque engloutie par la vague écumeuse qui vint se briser contre elle avec une telle violence, qu'elle la priva presque de l'usage de ses sens [53] ». L'ultime étape au creux de la dernière enveloppe de terreur conduit le héros à affronter enfin le vide auquel il se confond sous le coup de la plus grande violence affective : insupportable face à face avec un fantôme dont les yeux vides transpercent jusqu'à la réalité des êtres plus malfaisants, « le redoutable Hugo... regarda le spectre, poussa un cri effrayant, pâlit, tressaillit, tomba la face contre terre [54] »; atroce découverte d'un tombeau ou de quelque autre réceptacle macabre contenant « grand nombre de squelettes, dont les uns tombaient en poussière, et les autres étaient plus intacts, quoiqu'il fût évident que chacun d'eux était déposé dans cet endroit depuis un temps très considérable [55] ».

Absorbé par la machinerie noire, le héros fait soudain défaut au lecteur qui, ne pouvant plus s'identifier à lui, se trouve rejeté dans une assourdissante cage d'échos à ses propres fantasmes de fusion avec l'univers. Unité fugitive, ténébreuse, affolante, provoquant un éréthisme mental en deçà des images de la vie et de la mort qui mène à ce « ravissement (delight) », à cette espèce d'« horreur qui satisfait, sorte de tranquillité mêlée de terreur », en laquelle Burke voit l'essence même du sublime.

Ainsi, lieu de confluences inconscientes, réceptacle de tous les questionnements, de tous les affrontements contemporains, le roman noir sert non seulement à mettre fantasmatiquement en scène ce bouleversement sensible et intellectuel de la fin du XVIIIᵉ siècle, mais il innove radicalement en contribuant à procurer, à partir d'une situation psychique catastrophique, un plaisir où « l'esprit se trouve si rempli de son objet, qu'il ne peut, ni se livrer à aucun autre, ni par conséquent raisonner sur celui qui l'occupe entièrement », comme le dit encore Burke. Il s'ensuit que tel un objet qui se prête « à un minimum de fonctionnement mécanique » et qui est basé « sur les phantasmes et représentations susceptibles d'être provoqués par la réalisation d'actes inconscients », le roman noir dans sa totalité apparaît comme une *construction à fonctionnement symbolique*, selon la définition qu'en donnait Salvador Dali en 1931. Sa nouveauté en la matière est non seulement de composer avec le manque mais de développer ses rouages autour du manque. Il suffit cependant qu'il fonctionne pour qu'une multitude de figures viennent hanter ce vide primordial.

Moment d'égarement sublime où le héros n'est plus rien que la force motrice d'un mécanisme qui entraîne le lecteur dans un tourbillon de vide...

Illustration pour *Dusseldorf; ou le Fratricide* d'Anna Maria Mackenzie, trad. de l'anglais, Paris, an VII, chez Lemierre.

Les *automates* de l'insaisissable

Beaucoup de tours et de détours pour rencontrer le vide et arriver du même coup à cette aberrante constatation : la machine noire travaillerait à la mise en doute spectaculaire d'un sujet que l'époque entière s'efforce de construire de tous côtés, serait-ce avec les moyens les plus contradictoires. Pourquoi? Pourquoi les personnages du roman noir devraient-ils payer de leur inexistence le fait de s'aventurer à l'intérieur de ces constructions irréelles?

Inconsciente ou non, l'entreprise s'avère être d'une folle audace. Car malgré les objections épistémologiques ou théologiques contre la possibilité d'accéder à la connaissance de soi, qui ne cessent de s'élever du « moi haïssable » de Pascal à l'inconnu du « sujet transcendantal » de Kant, du moi inconcevable de Malebranche à la confusion du sujet de Hume en passant par le méprisable et « malheureux moi » de Fénelon, il n'en reste pas moins que la tentative de figurer les contours du sujet constitue l'aventure même du xviiie siècle.

On sait que cette aventure commence au plus loin des spéculations philosophiques ou théologiques, dans l'espace encore libre du roman, qu'il s'agisse des récits de Richardson, Prévost, Sterne ou même Goethe. Toutefois, ce désir irrépressible de se connaître soi-même, cette passion pour saisir ce qui fait une individualité, cette fièvre introspective qui s'empare de la littérature est inséparable d'une nouvelle conception de la conscience religieuse : le mouvement piétiste qui bouleverse l'Europe dans ses profondeurs sensibles. Exaltant la vie intérieure, le piétisme incite en effet chacun à porter attention à soi-même, à observer son être particulier. D'où une floraison d'autobiographies dont *Anton Reiser* de Karl Philipp Moritz et surtout *Les Confessions* de Jean-Jacques Rousseau constituent les chefs-d'œuvre. À partir des *Confessions,* le moi acquiert droit de cité en littérature. Il en devient même le sujet privilégié. Confessions ou romans par lettres ouvrent leurs pages à la parole subjective qui se fait de plus en plus subtile pour cerner sa source même. Progressivement, tout l'univers romanesque s'organise autour de cette perspective intérieure, de *Paméla* aux *Liaisons dangereuses* en passant par *Clarisse* et *La Nouvelle Héloïse* jusqu'à *Monsieur Nicolas.* Sans parler des journaux du romantisme allemand qui renforcent cette dimension subjective à travers une exaltation sans réserve de la notion de génie.

C'est au milieu de cette révolution romanesque que les personnages des livres noirs font leur apparition. Apparition dont l'extrême timidité a longtemps permis de considérer le roman noir comme une négation plus ou moins naïve du roman sentimental. Maurice Lévy rapporte la recette proposée par un auteur anonyme pour transformer le roman sentimental en roman terrifiant et selon laquelle il suffirait « de remplacer les villas par des forteresses, les arceaux de verdure par des cavernes, les vieux domestiques par des moines, les pères autoritaires par des géants, les éventails par des poignards sanglants, les compliments par des squelettes, les baisers par des blessures, et les mariages par des meurtres nocturnes [56] ».

Opinion généralement partagée : le roman noir serait une aggravation systématique du roman sentimental, à laquelle ne serait pas étrangère la dénonciation d'un monde de l'arbitraire qui se formule au même moment un peu partout en Europe. Et le fait que les parents plus ou moins dénaturés du roman sentimental y deviennent les meilleurs pourvoyeurs de victimes, que les domestiques confidents y soient remplacés par des religieux corrupteurs, que les séducteurs libertins s'effacent enfin pour laisser place à de passionnés persécuteurs, pourrait même servir d'illustration aux propos sur l'iniquité, les préjugés, la corruption du vieux monde, des tenants de la raison et du sentiment. Un grand nombre d'auteurs de livres noirs ne prennent-ils pas la peine d'avertir que les faits rapportés se situent dans un temps très ancien, dans l'obscurité idéologique d'une époque ignorante de la pensée libératrice de la philosophie des Lumières?

Seulement, tant que l'on s'en tient à mettre ainsi en parallèle roman noir et roman sentimental, il faut renoncer à pouvoir comprendre quoi que ce soit à la persistance et à l'emprise sensible du genre sombre qui paradoxalement, encore en 1818, ne laissaient pas d'intriguer Maturin, l'auteur de *Melmoth* : « Le passage de la sentimentalité insipide du roman d'il y a cinquante ans aux spectrales horreurs de celui des vingt dernières années fut si net et si soudain, qu'on désespère jamais de pouvoir l'expliquer. » Enfin, s'assurerait-on que tel ou tel personnage errant sous les plus ténébreuses voûtes diffère peu de celui qui s'attardait quelques années plus tôt sous les arceaux du roman sentimental, qu'on aurait seulement constaté une différence d'éclairage, sans voir que cette modification entraîne à de bien surprenantes conséquences idéologiques.

Car il ne s'agit pas là d'un simple changement de signe qui, par suite d'un caprice de la sensibilité ou même d'un sursaut de la raison indignée, permettrait de substituer les blessures aux baisers, suivant la naïve recette que l'on sait, mais au contraire d'un véritable détournement de sens.

Plus on lit ces livres en effet, et plus on a l'impression que sous cette forme « aggravée » du roman sentimental se poursuit un autre propos qui est sans cesse sur le point d'affleurer et dont le flux souterrain érode les conventions d'un récit se développant en fragile pellicule sur l'abîme de ce qui se dérobe. C'est pourquoi ces livres agacent, ennuyent, irritent tous ceux qui d'instinct, pourrait-on dire, perçoivent le danger de l'insidieuse déroute qu'ils provoquent. D'autant plus insidieuse que dans le même temps tous ces livres donnent remarquablement le change à la pensée moyenne de leur temps, et plus particulièrement à celle qui s'impose à la fin du siècle comme ce compromis confus entre raison et sentiment à partir duquel l'idée de l'homme naturel s'affirme avec le succès que l'on sait.

Écoutons le jeune Milcourt, amant malheureux de la comtesse d'Alibre : « Quel est le coupable aux yeux de la Raison ? C'est le vil esclave des préjugés, c'est l'être passif, qui se courbe sous la chaîne destructive de l'opinion, et se plaît à s'en entourer ; mais l'être sublime et fort qui sait s'affranchir de toutes ces entraves, qui ne suit qu'une loi, celle de son cœur épuré par la raison, qui ne connaît qu'un mépris, celui des erreurs et des terreurs humaines, qui ne connaît qu'un devoir, celui de fuir les esprits faibles, les persécuteurs, et de renverser audacieusement tous les obstacles à la félicité que lui indique la Nature ; voilà, ma bien-aimée, voilà l'homme vertueux [57]. »

Morceau de bravoure incontestablement dans le ton du siècle et qui pourrait figurer dans n'importe quel autre livre, à ceci près pourtant que la coïncidence qu'il établit entre raison et nature ne parvient pas à masquer une inquiétante violence dissimulée sous la rhétorique. Aussi, ne faudra-t-il pas s'étonner qu'un tout petit peu plus tard ce même « cœur épuré par la raison » entraîne

Plus on lit ces livres... plus on a l'impression que sous cette forme « aggravée » du roman sentimental se poursuit un autre propos qui est sans cesse sur le point d'affleurer...

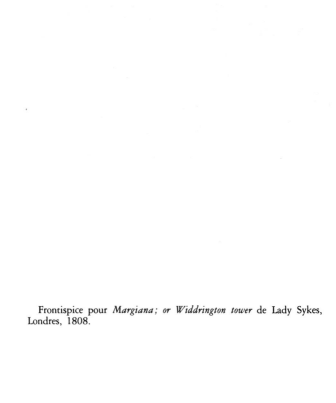

Frontispice pour *Margiana; or Widdrington tower* de Lady Sykes, Londres, 1808.

le sensible Milcourt à traiter le détestable mari de celle qu'il aime de la façon suivante : « Il le saisit par les cheveux, le terrasse, et lui enfonce mille fois son épée dans le flanc ; il l'y plonge, l'y retourne avec volupté. Il le frappe aux yeux, au visage, et sa main se trempe à loisir dans les flots de sang qu'elle a répandus... Non content de lui avoir ôté la vie, il roule sous ses pieds ce corps impur, et ne le laisse qu'après en avoir fait une masse informe de sang et de poussière [58]. »

En réalité, tous les romans noirs s'organisent autour de cette aberration fondamentale où les comportements semblent contredire les discours, et les discours les comportements. Seule une lecture attentive permet d'en pressentir la nature essentiellement lyrique, car d'être toujours en retard sur leurs gestes inconscients, tous ces personnages acquièrent une légèreté qui n'a d'égale que leur irréalité. Ce retard, ce déphasage intérieur, est pour beaucoup dans la poésie du roman noir : tous les gestes s'amplifient et se détachent à partir de ce retard qui à la place de la vraisemblance psychologique met en œuvre une mécanique de véritable suspense intérieur. Ainsi, Milcourt, tout droit sorti du roman sentimental, justement parce qu'il n'a pas eu le temps d'accommoder son regard clair à l'obscurité où il avance soudain, va-t-il « ...à la pâle lueur du flambeau des nuits, échevelé, tremblant, semblable à un mort échappé de son tombeau, ...disputer leur proie à la putréfaction et aux vers, et déterrer le cercueil qui renferme sa maîtresse [59] ».

Nous voilà bien loin des fadaises moralistes que tous les frères de Milcourt continuent encore de répandre sur la scène romanesque. Mais alors pourquoi recourir au même personnel pour dévoiler une bien autre réalité ? Tout en se réclamant avec véhémence des plus réconfortantes banalités sur la nature et la morale, la raison et le sentiment, n'a-t-on pas mis en place un mécanisme qui aurait justement pour but d'interroger ces assertions lourdes de tous les espoirs d'une époque ? Le roman noir

197

constituerait-il un dispositif expérimental dont le contrôle échapperait à ses utilisateurs, quand sous les tirades exaltant la mesure du bonheur naturel, se creuse le vertige de l'excès s'infiltrant comme un vent de folie au cœur de la pensée moyenne? Enfin, si les personnages n'ont pratiquement pas changé, si l'idéologie manifeste est pratiquement la même, ne serait-ce pas le décor du roman noir et lui seul, qui pervertit tout ce qu'il abrite, déniant aux personnages leur identité psychologique, aux mots leur sens, son mécanisme enfin attaquant tous les matériaux qui le constituent?

Et pourtant au départ, la population du roman noir paraît des plus simples à recenser : à quelques fantômes près, d'un côté il y a les bons, de l'autre les méchants, chacun ayant une place et une fonction déterminées dans la structure de cette machine à fonctionnement symbolique.

À commencer par les vertueux qui paraissent si faciles à lire. Seulement à y regarder d'un peu plus près, personne ne sait qui ils sont, d'où ils viennent, où ils vont. Au point que leur existence et leur parcours semblent suspendus à ces interrogations en chaîne. En effet, pour la plupart, enfants trouvés, de naissance douteuse ou inconnue, leur présence au monde est déjà à elle seule une énigme. Alors, ignorants de tout et surtout d'eux-mêmes, ils partent sur les routes, avançant en quête d'un secret qui ne cesse de leur échapper mais paraît avant tout être celui de leur identité. Au plus profond du désespoir, quand la nuit pèse sur eux de tout son poids d'angoisse et de terreur, la même question revient toujours : « Qui suis-je pour éprouver tant de peines? » Ballottés de malheur en malheur, ils ne se départiront jamais de leur incapacité définitive à comprendre le monde, en même temps que de leur étonnement troublé à éprouver du plaisir jusque dans l'infortune qui les accable. « Il est des voluptés de tout genre, des douleurs qui ont leurs charmes, leurs transports, leurs délices.

Qu'il est des plaisirs pour les âmes sensibles ! » remarque Baculard d'Arnaud qui se voulut l'inventeur du « genre sombre [60] ». Et il n'en faut pas plus pour que le thème usé de l'orphelin de naissance obscure, qui vient de connaître un regain de faveur avec le roman picaresque, prenne soudain une dimension métaphysique, quand c'est là le prétexte à entraîner subrepticement tous ces jeunes gens à la recherche de leur propre nature et non de leurs ancêtres.

Alors, comme dans toutes les histoires qui reposent sur une reconnaissance d'enfant, on apprend dès le début que les uns et les autres sont porteurs d'un signe — marque ou objet — trouvé par hasard et capable de renverser le cours de leur destin. Seulement, tous s'empressent d'oublier cette découverte fortuite pour partir sans savoir vraiment où ni pourquoi. Amnésie inaugurale lourde de sens, éclairant la totalité de leur voyage comme un détour que tous effectuent pour n'avoir pu consentir, les uns à ce que leur individualité soit contenue dans le signe qu'ils portent sur l'épaule, les autres à ce que le secret de leur vie réside entièrement dans la misère d'un portrait vieilli, d'une bague usée.

Il ne fait d'ailleurs aucun doute que leur nullité psychologique, qu'on s'est tant plu à souligner, est liée à cette découverte perturbante que tous éprouvent comme un choc, en tombant au début de leur histoire sur un de ces objets irrationnels qui déchire la cohérence de leur représentation du monde. « Au fond de la bourse était un petit paquet ; elle l'ouvrit : c'était une petite boîte d'ivoire au fond de laquelle était le portrait d'une... dame. Elle tressaillit [61]. » Telle est cette brèche d'obscurité qui s'ouvre au plus près d'eux-mêmes, au point précis où chacun croit possible de saisir le secret de son origine et par laquelle le monde va progressivement se vider de sens. Car l'insupportable n'est pas de se trouver affronté à l'énigme mais bien plutôt de découvrir que celle-ci est enfermée dans l'incontournable de l'objet.

Et voilà que ces tendres voyageurs découvrent ici ce que le siècle ne veut pas voir – ou ce que, l'ayant vu comme les héros sadiens, on ne cherche qu'à nier. Qu'ils se nomment Ellena, Émilie, Albert, Ida, Sophie..., ce que les uns et les autres vont voir au gré de leur voyage, c'est leur vie, la vie, rôder aux confins de l'objet, c'est-à-dire à la lisière du non-sens.

Parcours des plus périlleux qui s'inscrit exactement *a contrario* du mouvement de la réflexion philosophique d'alors, Sade excepté. Car enfin si la nouveauté sensible du siècle se cherche et se trouve à travers ce « sens intime », cette intuition intérieure qui, de Shaftesbury à Rousseau, en passant par Turgot, Diderot, Hemsterhuis, va aboutir à la conscience romantique, il n'empêche que jamais aucun des philosophes rationalistes, dans leur extrême souci d'objectivité, n'a succombé à cette fascination pour ce qui en l'homme ramène à l'objet. Au contraire même puisque Locke, impatient d'en finir avec les idées innées, cherche à établir une théorie de la connaissance, c'est-à-dire à dégager de l'observation du monde un principe d'ordre. On pourrait en dire autant, sinon plus, du fameux « je pense donc je suis » de Descartes qui, par cette double affirmation du moi, tend à mettre en place un mode de penser tout entier déterminé par l'esprit géométrique. Tout ceci pour souligner à quelle distance du débat qui occupe l'époque entre universalité objective et métaphysique du sentiment, se formulent dans le roman noir ces étranges préoccupations sur l'objet et son opacité. Tout ceci pour montrer aussi contre quelles ténèbres les innocents héros de ces livres viennent donner de la tête quand, persuadé que le principe de la matière n'est pas matériel, Claude Saint-Martin affirme avec une tranquille assurance qu'il est temps d'« expliquer les choses par l'homme et non l'homme par les choses ».

Je ne veux pas dire par là que ces pâles jeunes gens sont en mesure de résoudre les questions que le siècle évite de poser car leur voyage peut aussi être considéré comme un immense détour que Sade, par exemple, ne consent pas à faire. Mais un détour à ce point déterminé par ce qu'on cherche à ne pas voir que nos vertueux aventuriers se trouvent contraints d'inventer une façon particulière de voyager.

Ainsi, plutôt que de continuer à considérer indéfiniment leur situation dans l'univers, ces personnages semblent préférer tâtonner dans le monde nocturne qui dévore les apparences du réel. Au point même qu'en plein siècle des Lumières, on pourrait les définir comme ceux qui cherchent à devenir aveugles, s'avançant dans une obscurité qui anéantit formes et apparences mais qui suscite aussi de brefs et dangereux frôlements avec l'essence des êtres et des choses. Et c'est ainsi qu'ils s'aventurent au bord des précipices où la raison ne s'aventure pas. Pas plus que le sentiment d'ailleurs, ce « sentiment intime » que l'*Encyclopédie* n'hésite pas à définir comme « la première source et le premier principe de toute vérité dont nous soyons susceptibles », pour préciser immédiatement : « Tout ce qu'on voudrait dire afin de prouver ce point ou de l'éclaircir davantage ne ferait que l'obscurcir, de même que si l'on voulait trouver quelque chose de plus clair que la lumière et aller au-delà, on ne trouverait plus que ténèbres. »

Or c'est justement là que nous mènent les guides incertains du roman noir. Paradoxalement, l'excès même de leur aveuglement va les rendre familiers de l'ombre, leur permettant de se mouvoir dans la plus ténébreuse des nuits qui paralyserait d'effroi n'importe qui d'autre. Et quand l'époque consacre la plus grande part de son énergie à chasser l'ombre des territoires qu'elle cherche à conquérir, ces explorateurs timorés commencent à

201

reconnaître les liens profonds qui les unissent à l'obscurité. Qui plus est, au creux de cette nuit qui à la fois les protège et menace, ils découvrent que la lumière ne sera plus jamais la clarté qui rassure : « Le point du jour ne réalisa à mes yeux que les objets de terreur et de chagrin que ma chambre me présentait », dit comme beaucoup d'autres la jeune Mathilde [62]. Et du même coup la lumière ne semble devoir surgir pour eux que comme un insupportable déchirement dont l'éventualité charge la nuit d'un nouveau danger. De là vient sûrement la troublante nouveauté du très beau livre noir de Charles Brockden Brown, *Edgar Huntly ou les Mémoires d'un somnambule,* paru en 1799 aux États-Unis, où le thème du double se dégage d'une indétermination fondamentale sur la personne justement amenée par cette obscurité en instance de lacèrement lumineux.

Une autre relation s'établit dès lors entre l'ombre et la lumière, qui, non seulement évoque sur le mode symbolique l'horreur de voir l'inadmissible, mais innove en ce que la connaissance de soi et du monde est assimilée à cette fulgurance lumineuse, seule capable de sortir l'homme de sa nuit, ou encore de mettre fin à l'antinomie, qui tend à s'affirmer comme jamais encore dans l'histoire de la sensibilité, entre la nuit subjective et la clarté objective. Et ce renversement de perspective à l'intérieur de l'espace imaginaire du roman noir est d'autant plus étonnant qu'il n'est pas sans rappeler la position relativiste adoptée au même moment sur le plan philosophique par les esprits les plus aigus sur la question de la perception.

Un problème passionne alors le siècle et toute théorie de la connaissance vient y achopper : il s'agit de déterminer le rôle respectif des facultés physiques et des facultés psychiques mises en œuvre par le fameux aveugle de naissance – imaginé par Molyneux dans son *Optique* – pour appréhender le monde au moment où il recouvre la vue. Affrontés à ce problème, les philosophes des

Lumières reprennent en grande partie les thèses de Berkeley, exposées dans sa *Nouvelle théorie de la Vision* et dans laquelle il élargit son concept fondamental de perception en y incluant l'activité de représentation. De ce fait, l'« objectivité » habituellement prêtée aux formes de la perception et de l'entendement apparaît gravement menacée. On mesure que l'attention portée au problème optique de Molyneux est loin d'être gratuite, car ce qui y est en jeu, c'est le concept même de vérité. Or, en prêtant à ces héros non pas une cécité physique mais une cécité mentale, et mettant en scène la violence du moment où ils recouvrent la « vue », voilà qu'à travers le roman noir on en vient à aborder le même problème jusqu'à y développer au même titre que Diderot, Condillac, Maupertuis... pourrait-on dire, une critique de l'« idéalisme subjectif » de Berkeley; et continuerait-on le rapprochement qu'il s'avérerait qu'à l'empirisme avancé par ceux-ci, le roman noir oppose une « unité objective de la conscience » qui résulterait, non du jugement comme l'avancera Kant plus tard, mais qui annoncerait un *savoir halluciné* ne se manifestant qu'à l'instant de la plus grande distance avec le monde.

Savoir halluciné qui devra attendre le romantisme et surtout les poètes de la fin du xixe siècle pour commencer à avoir une existence théorique. En ce sens, le recours systématique des héros du roman noir à l'évanouissement, aux moments où ils seraient en mesure de savoir à quoi s'en tenir sur leur destin, ne saurait être lu comme une tactique du renoncement. Loin s'en faut, puisque après ces défaillances, ils repartent de plus belle comme s'ils y avaient puisé un surcroît d'énergie. C'est qu'au plus profond de l'évanouissement, ils plongent à la source de l'inconscience qui leur permet de parcourir les paysages les plus inquiétants comme de glisser le long de cette pente délirante dissimulée sous le voile du malheur.

Et là réside peut-être la plus grande nouveauté romanesque du xviiie siècle : à se faufiler entre les brèches des murailles auxquelles se heurte la philosophie du moment, tous ces « enfants du malheur » ne réussissent rien moins qu'à perdre leur identité psychologique ou sociale pour laisser voir le vertige qui les hante. En fin de compte, aucun d'eux ne semble avoir d'autre but que de nous entraîner là où ils ne sont plus eux-mêmes, là où la quête du sujet débouche sur la perte de l'identité. Comme si l'imagination plurielle avait trouvé là par d'improbables chemins de traverse le moyen de passer outre à la pensée dominante de l'époque et de rejoindre par le stupéfiant détour du roman sentimental les pensées les plus solitaires. Car la découverte de cette incertitude fondamentale sur la personne, il n'est que Sade et Lichtenberg pour avoir eu l'audace de l'envisager avec toutes ses conséquences.

Qui d'autre que Lichtenberg peut alors en effet prétendre que le « concept d'être est quelque chose d'emprunté à notre pensée » et en même temps que « être et non-être ne s'opposent plus » ? Personne, si ce n'est les héros du roman noir courant au-devant de leur inexistence. Tout comme d'ailleurs les victimes de Sade ne naissent à la vie romanesque que pour établir leur non-être. Et sur ce point, on ne peut être plus clair que le duc de Blangis s'adressant à quelques-unes de ses futures victimes à l'aube des *Cent vingt journées de Sodome* : « Examinez votre situation, ce que vous êtes, ce que nous sommes, et que ces réflexions vous fassent frémir. Vous voilà hors de France au fond d'une forêt inhabitable, au-delà de montagnes escarpées dont les passages ont été rompus aussitôt après que vous les avez eu franchis. Vous êtes enfermées dans une citadelle impénétrable ; qui que ce soit ne vous y sait, vous êtes soustraites à vos amis, à vos parents, vous êtes déjà mortes au monde... »

Inexistence du nombre, inexistence que Sade n'en finit pas de prouver et d'éprouver par le nombre pour dire et redire la solitude infinie de l'Unique. Pour laisser voir aussi à perte de vue les « déserts de l'amour ».

De toute évidence, les perspectives du roman noir sont notablement plus courtes. Seulement, la même interrogation existentielle, la même suspicion à l'égard des idées en cours sur la personne humaine, à y être confusément formulée – serait-ce le plus maladroitement du monde – suffit à mettre en branle une énergie nouvelle jusquelà occultée. Et l'inexistence des diaphanes héroïnes qui sillonnent la nuit du roman noir prend une valeur particulièrement équivoque.

Dociles, soumises, seules au monde, insupportablement vertueuses, elles s'imposent ou plus exactement s'exposent comme objets érotiques privilégiés. Mais sontelles si différentes de leurs sœurs du roman libertin?

Dans un cas comme dans l'autre, des êtres absolument blancs naissent à la vie romanesque et le parcours libertin comme celui du roman noir commence au moment précis où cette blancheur est mise en circulation. Toutefois, si le parcours libertin se dessine comme un tatouage subtil et progressif sur le corps de celles qui l'effectuent, chaque aventure du roman noir, susceptible de marquer ces tremblantes héroïnes, est aussitôt effacée par ce qui suit. Que les malheurs s'accumulent, que les tourments s'amoncellent, rien ne peut avoir raison de leur innocence arborée comme une qualité définitive. Rien, sinon les ruses mécaniques d'un décor tout en trompe-l'œil, qui, démultipliant les figures de leur innocence hagarde, met en place un dispositif de provocation sans précédent.

Ainsi, Pauliska, « réfugiée polonaise célèbre par sa beauté et ses malheurs », seule au monde, se présentet-elle pour un travail d'écriture « dans une boutique de Distillateur, en apparence » : « – Belle! Très belle! s'écrie cet homme en me fixant, et me laissant voir, par son air, que cette exclamation s'adresse plutôt à mes traits qu'à ma plume. – Vous resterez avec nous. À ces mots, il donne un coup de talon assez fort sur le plancher ; je sens ma chaise descendre très vite par une trappe qui se referme aussitôt sur ma tête, et je me trouve au milieu de huit ou dix hommes au regard avide, étonné, effrayant... » *Pauliska ou la perversité moderne* est entièrement construit d'ailleurs sur cette fatalité mécanique.

Mais qu'importe, les aventures de Pauliska, comme celles de ses compagnes d'infortune du roman noir, ne s'inscriront jamais sur son corps lisse et n'auront, de ce fait, jamais la valeur d'apprentissage qu'elles pourraient avoir pour les vierges du roman libertin qui, sans le savoir, ni le vouloir vraiment, apprennent tout de l'amour. Tout au plus, les aventures de Pauliska glissent-elles le long de sa vie, la gainant de malheurs pour la laisser apparaître tel un écran insupportablement immaculé qui n'en finira pas d'inciter les plus noires créatures à vouloir y imprimer, comme en absolu, la violence de leurs désirs. Incomparable séduction par l'absence qui attise le désir à l'infini mais nous éloigne définitivement de la variété libertine et de l'épargne avec intérêt qui commande ses modérations pédagogiques.

Toutes ces jeunes filles, égarées au cœur des orages passionnels qu'elles provoquent, usent et abusent d'un pouvoir érotique illimité. Je dirais même qu'elles gaspillent avec la plus bouleversante inconscience un capital que leurs sœurs du roman libertin n'acquerront jamais, même à force d'application ou de talent. Elles sont et demeurent des tentations à l'état pur. Insaisissables, obsédantes, désarmantes de fragilité, leurs évanescentes silhouettes sillonnent comme un continuel défi la nuit de l'amour humain. Et paradoxalement, cette innocence, qui ne veut être rien d'autre qu'elle-même, fait entrevoir à quel point l'exaltation et le désespoir entrent dans la composition de l'atmosphère noire.

Car pourquoi ces vierges éperdues devraient-elles quitter la vie quotidienne, affronter les pires dangers, si elles n'étaient poussées par le mélancolique désir, mais jamais

...rien ne peut avoir raison de leur innocence arborée comme une qualité définitive. Rien, sinon les ruses mécaniques d'un décor tout en trompe-l'œil...

Frontispice pour *Les Capucins, ou le secret du cabinet noir,* Paris, 1801, chez Marchand.

avoué, de rencontrer des êtres parés de la sublime horreur des décors qu'elles traversent, si elles n'étaient déjà fascinées par l'obscure splendeur de ces êtres de proie vers lesquels les portent leurs pas?

Je me garderais bien cependant d'enfermer cet ébranlement naissant de la sensibilité, de parler tout de suite d'un érotisme noir dont nous connaissons aujourd'hui les formes les plus abouties, les mieux serties à la suite d'une mise au point qui aura duré deux siècles. Et pourtant, je ne craindrais pas de donner place aux tremblantes héroïnes du roman noir parmi les plus audacieux explorateurs du cœur humain : à n'en pas finir de provoquer, leur innocence annonce un érotisme se confondant avec une quête qui conduit inévitablement vers les ténèbres. Et leurs fragiles mouvements esquissent là une découverte érotique qui a pour résultat de défaire purement et simplement l'édifice psychologique mis en place par une époque se confortant à travers l'assurance libertine.

Dans ces livres, la vertu possède en effet l'étrange pouvoir de rendre de plus en plus transparents les êtres qu'elle habite jusqu'à laisser apparaître, et la réalité mécanique du système de forces qui les meut, et le fond de l'abîme où ce mécanisme s'intègre aux questions les plus agitantes. À cet égard, la nullité psychologique de ces héroïnes semble garante de leur utilité mécanique, comme si cette identité en quête d'elle-même sortait d'elle-même pour mettre en branle un mécanisme de fuite en avant qui déjoue non seulement toute réconciliation de l'être avec le monde, mais aussi avec lui-même.

Comment ne pas penser alors de nouveau à l'univers sadien où malheurs, tourments et tortures infiniment répétés, n'ont pas plus de réalité pour le libertin qui les cause que n'en ont leurs malheurs pour les héroïnes du roman noir? Même expropriation de l'individualité, même désintégration d'une identité soudain happée dans les engrenages du désir. Avec cette différence toutefois, que dans le roman noir cette désintégration n'attend pas la réalisation du désir pour devenir flagrante : les tourmenteurs n'ont pas encore fait leur entrée, qu'il n'est pas une seule de ces héroïnes dont l'individualité ne s'estompe déjà dans une errance que la mécanique du décor organise en glissements successifs vers une réclusion sans terme, dans les alvéoles d'un espace flottant entre la prison et le boudoir. Différence à souligner dans l'histoire de la sensibilité noire : en quelque sorte, inconsciemment, l'époque sait d'avance ce qu'elle ne pardonnera pas à Sade de chercher à établir. Mais en deçà de cette fatalité tragique qui demeure le prix à payer de la lucidité, il reste au roman noir le mérite d'avoir révélé, sous la prometteuse silhouette de l'homme nouveau, le mécanisme sans fin qui en efface les contours.

Mécanisme du désespoir qui rythme de plus en plus une quête érotique inédite, au point de mener la masse des naïfs lecteurs du roman noir au bord de l'abîme où seuls de tout le siècle se tiennent Sade et Lichtenberg. Je veux dire au bord du désespoir qui hante le désir, au bord du noir qui hante la pensée. Je veux dire au bord du désespoir que la nuit romantique va tenter de nier. Novalis n'affirme-t-il pas que « l'univers extérieur est le royaume des ténèbres qui projette son ombre dans la région lumineuse au-dedans de nous », au moment même où Sade vient de crier autour de quel gouffre de ténèbres tourne l'idée de l'homme ? Et aussi étrangers que Sade et Lichtenberg soient l'un à l'autre, j'attribuerais à la même conscience l'extrême réticence du philosophe de Göttingen à l'égard des « génies » du « Sturm und Drang » en dépit de sa reconnaissance tardive et mitigée de Jean Paul. Lichtenberg dit encore : « La pensée a trop d'espace où jouer. » Comme si juste avant que l'élan romantique ne trouve dans le fragment un point d'ancrage – éphémère, mobile, aléatoire – mais néanmoins un point d'ancrage (on se souvient du célèbre passage de *L'Athenaeum* : « Pareil à une petite œuvre d'art, un fragment doit être totalement détaché du monde environnant, et clos sur lui-même comme un hérisson »), Lichtenberg dévoilait au cœur du langage le même vide que celui autour duquel se sont élevés châteaux noirs et demeures sadiennes. Là où l'esprit pour Lichtenberg, le désir chez Sade, le destin dans le roman noir – partout ailleurs principes d'identité – sombrent dans le désespoir de la même nuit.

Alors, qu'est-ce à dire? Ne serait-ce là qu'une perversion de la pensée hasardeusement partagée dans un temps de troubles par les plus lucides et les plus inconscients? Sûrement pas, mais plutôt une même distance prise avec les solutions proposées par l'époque. Ou plus précisément encore la rencontre historique, improbable et pourtant décisive des êtres les plus divers, autour du refus plus ou moins conscient de s'en remettre aux autres sur les questions fondamentales. Sorte d'insoumission existentielle et solitaire sans laquelle la perspective noire demeurerait absente. Et ce n'est pas le moindre paradoxe du xviiie siècle que ce retournement révolté de la solitude sur elle-même ait inconsciemment pris une dimension plurielle.

Car les innombrables lecteurs du roman noir appartiennent à toutes les classes sociales comme en témoignent les listes de souscripteurs mais aussi la clientèle très diverse des librairies circulantes, des cabinets de lecture où l'on commence avec les années à s'arracher ces livres. Mais on mesure mieux encore la contagion sensible que n'arrête aucune barrière sociale à l'agacement grandissant de la critique à l'égard de « ces spectres, ces tombeaux, ces lampes sépulcrales, ces corridors obscurs, ces corridors plus obscurs encore qui font le principal mérite d'une foule de mauvais romans, où l'invraisemblance choque à chaque moment le bon sens », comme le dit François Pagès [63] en 1797. Il faut écouter les détracteurs de ces livres qui unanimement dénoncent le caractère mécanique

211

de ces constructions grinçantes de mauvais goût. Leur hargne les gratifie d'une lucidité défensive qui leur permet d'entrevoir que là se joue obscurément une partie de la plus grande importance.

Car une trentaine d'années après le surgissement d'*Otrante,* on ne compte plus les châteaux d'*Udolphe, Dunbayne, Athlin,* les abbayes de *Grasville, Saint-Clair, Oakendale,* les forêts de *Minski, Montalbo,* qui envahissent l'imaginaire européen. Et il semble d'autant plus vain que les critiques, les gens de bon sens continuent de s'élever contre le « grand usage, dans les romans, du ressort de la terreur, du sombre [63] », escomptant que « toutes les absurdités [ayant] une fin... l'usage répété des mêmes insipides chimères finira par apporter la guérison [64] ».

Tout ce qu'ils reprochent à ces innombrables productions terrifiantes « écrites avec la main plus qu'avec le cœur », décrit en fait la nouveauté même du phénomène noir se manifestant là à travers un véritable *automatisme pluriel.* Quand on saura que « deux romans noirs sur trois sont anonymes » comme nous dit Maurice Lévy [65], qu'on ne compte plus les subterfuges – du manuscrit trouvé à la traduction toujours un peu mystérieuse – qui semblent presque faire de l'anonymat une vertu du genre sombre, on aura peut-être une idée plus précise de l'obscure nécessité qui commande à cette production si débridée, si fiévreuse, si incontrôlée. Obscure nécessité qui recouvre aussi bien celle de lire et d'écrire ces histoires semblables les unes et les autres et sur laquelle les lois de l'offre et de la demande ne peuvent rien nous apprendre.

Il suffit d'avoir feuilleté certains de ces livres qui ont servi et dont les pages sont parfois surchargées de mots griffonnés à la hâte, impuissants à exprimer le trouble qu'une débauche de points d'exclamation et de suspension laisse pourtant deviner, pour savoir que leur lecture ne diffère pas fondamentalement de leur écriture, même si leurs détracteurs ne manquent jamais de souligner le caractère mercenaire de leur production.

Mercenaire si l'on veut. Encore que l'insignifiance des honoraires et surtout l'utilisation quasi mécanique du même décor, des mêmes thèmes, nous remettent sur la piste de l'automatisme pur. Car enfin, qui a jamais prêté quelque réalité à ces forêts toujours insondables, à ces tempêtes toujours apocalyptiques, à ces forteresses toujours terrifiantes, à ces souterrains toujours à perte de vue? Personne, pas même les fiévreuses lectrices dont les adversaires du genre sombre nous rebattent les oreilles pour attester le peu de sérieux de ces livres. Mais qui n'a pas cependant vibré comme elles à l'évocation de ce décor excessif que vient encore détourer la fièvre de leur veille?

Et ce n'est pas un hasard que lecteurs et auteurs du roman noir se ressemblent : si beaucoup sont des femmes, la plupart n'ont pas plus de vingt ans. Les uns et les autres, du fait même de leur peu de prise sur le monde, avancent au-devant de leur imagination avec un sens de l'excès qui se propage en frémissement intérieur. Tant s'en faut pourtant que lecteurs et auteurs du roman noir puissent être tenus pour des marginaux, on connaît l'aisance relative des uns et des autres. Et ni l'abbé Morellet ni la comtesse Louise Marie Victorine de Chastenay qui, contraints de vivre de leur plume à la suite de la Révolution, s'illustrèrent comme les plus fameux traducteurs de romans anglais, ne pourraient nous contredire sur ce point. Seulement, la situation précaire des uns, la dépendance arbitraire des autres et surtout l'extrême jeunesse de la majorité, les incitent inconsciemment autant à refuser les conditions qui leur sont faites qu'à s'interroger obscurément sur leur existence. Qui d'entre eux n'aurait pu dire comme Chateaubriand, qui fut dans son adolescence grand lecteur de livres frénétiques : « Je fus toujours vertueux sans plaisir, j'eusse été criminel sans remords » ?

C'est que le roman noir s'avère être le lieu imaginaire où se retrouvent tous ceux qui sont mal avec le monde, et en premier, ces très jeunes gens, hommes et femmes, plus que tout autres sensibles à l'électricité de l'air et qui témoignent au même titre que les philosophes libertins de cet affleurement historique du désir et de son revers de néant dans la conscience européenne. Non que je veuille ici estomper la considérable avance théorique de ces hommes problématiques « grands bourgeois ou aristocrates éclairés, esprits rêveurs ou systématiques, libertins de tête ou de pratique » qui, bien avant le bouleversement révolutionnaire, « ont pu développer à la faveur de l'iniquité même de ce niveau de vie un suprême degré de lucidité [66] ». Sur ce qui se formule timidement, maladroitement dans le roman noir, ceux-là savent à quoi s'en tenir, déjà conscients de « ce que leur existence a de moralement aléatoire tout comme la structure problématique qu'ils ont développée intimement [67] », mais ils n'en éprouvent pas moins le même vertige que celui qui s'empare de tous les autres, inconscients expérimentateurs de la liberté.

Consciemment ou non, s'inaugure chez les uns et les autres une rupture avec l'ordre des choses. Que celle-ci s'opère à des niveaux différents, ne permet pas de sous-estimer la coïncidence sensible à travers laquelle se manifeste la même volonté obscure de s'opposer à tout ce qui résiste au rêve humain, fût-il aussi contradictoire que désespéré.

Ainsi, dans la prison d'un décor toujours semblable à lui-même, l'imagination plurielle expérimente-t-elle que quelque chose au cœur de l'homme ne cesse de défaire la cohérence de tous les discours, de tous les comportements pour affirmer une autre cohérence encore souterraine dont les signes contradictoires ne s'annulent pas forcément. Fantasmatiquement, elle ouvre l'espace commun à tout le siècle d'où naissent aussi bien les grandes lames de fond de l'histoire que les gestes absolument discordants d'individus qui se tiennent résolument à la lisière de leur temps. Elle ouvre cet espace où la négation lucide qui est à l'œuvre dans la pensée libertine équivaut à la négation muette qui est à l'œuvre dans la violence populaire, même si *a posteriori* on s'arrange toujours pour justifier celle-ci. L'imagination plurielle ouvre cet espace où le début d'un monde ne coïncide pas seulement avec la fin d'un autre, mais où la liberté frange tous les gestes d'une ombre qui va définitivement changer le regard que l'homme porte sur lui-même. Elle ouvre cet *espace absent* de l'idéologie révolutionnaire, à partir d'un point de fuite vers lequel s'engouffre l'obscure raison de la révolution, celle qui s'inscrit *à rebours de l'histoire*.

Sans lieu ni date

À rebours de histoire? Mais ne remarque-t-on pas un brusque accroissement des publications noires à partir des années quatre-vingt-dix dans l'Europe entière? Sade dans l'*Idée sur les romans* ne reconnaît-il pas au genre sombre le principal mérite d'être devenu « le fruit indispensable des secousses révolutionnaires dont l'Europe entière se ressentait. Pour qui connaissait tous les malheurs dont les méchants peuvent accabler les hommes, le roman devenait aussi difficile à faire que monotone à lire; il n'y avait point d'individu qui n'eût éprouvé d'infortune, en quatre ou cinq ans, que n'en pouvait peindre, en un siècle, le plus fameux romancier de la littérature. Il fallait donc appeler l'enfer à son secours, pour composer des titres à l'intérêt, et trouver dans le pays des chimères ce qu'on savait couramment, en ne fouillant que l'histoire de l'homme dans cet âge de fer ».

Le fait est que pour être impénétrables, les forteresses du roman noir n'en sont pas moins exposées à toutes les tempêtes qui emportent l'époque. Et bien que s'enracinant dans l'intemporalité de la nuit intérieure, leur structure de ruine les rend d'autant plus vulnérables aux assauts du temps qui leur font prendre des allures de navire éperdu au milieu de la tempête révolutionnaire. Ainsi, voit-on la critique reconnaître soudain, dans l'obscure irréalité de ces demeures, l'horrible réalité des derniers bastions d'un monde de l'arbitraire. Au point de rendre grâces « à Madame Radcliffe pour nous avoir retracé avec des couleurs si vives et si frappantes une partie des crimes de ce règne des prêtres qui ne fait pas seulement verser à grands flots le sang des nations dans des guerres implacables ou sur les échafauds d'un tribunal froidement inique, mais qui poursuit l'homme dans tous les détails de sa vie particulière, l'environne de fantômes cruels, porte le désordre et le malheur à l'intérieur des familles, corrompt tous les cœurs en égarant les imaginations ; système vraiment antisocial, qui ne détruit pas moins la morale dans ses dupes que dans les hommes moins crédules, auxquels il donne lui-même l'exemple de fonder de grands moyens de richesse et de pouvoir sur la crédulité d'autrui et de dérober une vie de forfaits sous l'affectation hypocrite de je ne sais quelles chimériques vertus ».

Je ne saurais dire si le propos d'Anne Radcliffe correspond bien à cette analyse du *Mercure français* du 10 thermidor 1797. Toujours est-il que la faveur grandissante de cette variante monacale du roman noir, où le couvent remplace le château, est incontestablement liée à l'affirmation de l'anticléricalisme révolutionnaire. Est-ce à dire que sous la pression de l'époque, la sensibilité noire se laisse prendre au piège du réalisme, quand on retrouve dans ces livres l'horreur des couvents, mais aussi des prisons, des maisons de force où n'importe qui risque alors d'être incarcéré et dont témoignent des hommes indignés comme Sébastien Mercier : « On vit des enlèvements qui se faisaient de nuit par des ordres secrets. Des vieillards, des enfants, des femmes perdirent tout à coup leur liberté, et furent jetés dans des prisons infectes... », ou encore « les femmes (car on les enferme aussi) sont conduites aux Filles de la Magdeleine, à Sainte-Pélagie et à la Salpêtrière » ? Alors quelle différence y a-t-il entre Vicenzio, héros du *Confessionnal des Pénitents noirs,* livré aux prisons de l'Inquisition par une famille s'opposant à ses amours et ces jeunes libertins qui « sur les plaintes d'une famille... sont enfermés à Saint-Lazare » comme le dit encore Sébastien Mercier? Aucune apparemment, si ce n'est que les lieux d'enfermement du roman noir se closent sur leurs victimes par suite d'un brusque retournement de la notion d'asile en prison.

Différence essentielle : c'est ce trompe-l'œil, cette ruse systématique pour ne pas dire mécanique, qui donne la clef de toutes les prisons du roman noir pour les fermer hermétiquement sur leur raison métaphysique. Mais c'est aussi la possibilité même de ce retournement, enfonçant le pieu de la négation au cœur de la réalité, qui délivre l'espace noir de sa détermination historique. Seulement, alors, pourquoi a-t-on soudain de plus en plus besoin de hanter ce lieu qui ressemble autant qu'il en diffère à la réalité que l'orage révolutionnaire va embraser?

Nul doute qu'en notant dès 1760 : « l'acharnement à nuire, à tourmenter, se lasse dans le monde; il ne se lasse point dans les cloîtres », Diderot pressentait dans *La Religieuse* sous quelle lumière d'absolu la claustration et la durée croissant leurs pouvoirs étaient susceptibles de révéler la silhouette humaine. Telle est d'ailleurs la force de ce livre d'attente, d'une attente haletante qui pourrait bien être métaphorique de celle d'une époque avide de contempler l'intérieur du cœur humain. Et aurait-on tout oublié de ce récit, qu'on continuerait d'entendre des portes s'y fermer les unes après les autres, dévoilant l'implacable mécanisme selon lequel l'horreur croît avec l'artifice qui n'en finit pas d'aggraver le fait même de l'enfermement. Artifice dont l'insupportable lumière va brusquement révéler ici l'existence d'un espace ténébreux étendant sa sinuosité sous les paysages radieux qui accompagnent le rêve de l'homme naturel. Et le principal mérite du texte de Diderot – au-delà de ses dimensions sociales ou psychologiques – est de repérer cet artifice hors duquel on ne saura jamais rien sur la nature humaine. Enfin, d'avoir établi que la claustration provoque cet éloignement sans retour de l'homme naturel et que c'est là paradoxalement le seul moyen de connaître celui-ci, Diderot lie du même coup cet espace ténébreux à la connaissance et à une connaissance a-historique.

Aussi, l'extension délirante de l'architecture noire n'en vient-elle à reproduire le mouvement historique de l'oppression que pour y répondre des profondeurs de la condition humaine. Et c'est le retournement de la notion d'asile en prison qui consomme très clairement cette rupture avec le temps historique puisque l'incarcération ne résulte pas ici directement des abus d'une autorité arbitraire mais d'abord d'une faille dans l'arbitraire cohérence de toute représentation du monde. Quand les portes du refuge se ferment pour devenir portes de prison et suspendre dans le même moment la possibilité du moindre recours et du moindre retour, ce n'est rien moins que la réalité tout entière qui se trouve prise au piège de la prison de l'être. Et le roman noir serait la machine fantasmatique à rendre possible cette incroyable mise à l'épreuve de la réalité extérieure sous la poussée d'un monde intérieur en plein bouleversement.

Je serais même tentée de dire qu'on assiste là à un ahurissant phénomène de fétichisation du monde réel. Puisque à l'intérieur de cet espace déterminé par la décisive équivalence entre prison et asile, la prison n'a pas plus d'existence que le refuge, de sorte que la réalité se trouve aussitôt frappée d'irréalité. Du même coup, absolument artificiel, l'espace noir constitue un artifice psychique de premier ordre que la confidence amusée de Madame du Deffand à son ami Walpole illustre avec éclat à propos du *Château d'Otrante* : « Je ne crois pas aux fantômes, mais j'en ai peur. » La vérité contenue dans ce qui pourrait passer pour la boutade d'une femme du monde est en fait constitutive du plaisir noir qui commence par ce gigantesque déni de réalité. Si l'on fait encore semblant d'être conscient de l'irréalité du décor, de l'invraisemblance du récit, c'est pour favoriser un dédoublement qui permet au lecteur de participer à une représentation qui dès lors ne se déroule pas devant lui mais en lui. Car la précaution contenue dans le « je sais bien, mais quand même » de Madame du Deffand ne fait plus réellement sens. Ce n'est pas vrai, on ne sait plus très bien, la vie se joue déjà ailleurs que sur la scène trop connue d'un monde qui se répète dans les soubresauts de son agonie.

Sinon, pourquoi cette sombre équivalence entre l'asile et la prison, au moment précis où la conscience individuelle souffre d'être réduite à son seul espace et cherche justement à découvrir les lieux où elle pourrait s'épanouir ? Irréelle, délirante, la progression cellulaire des prisons du roman noir établit que les uns après les autres tous les espoirs de trouver un asile engendrent autant de prisons de la pensée et du sentiment, comme l'expérimentent amèrement les innocents héros de ces livres sur lesquels se referment les murs de la plus insupportable solitude. Le bonheur ne parviendra pas à éclore dans les lieux les mieux protégés car tout le mal que ces vertueux voyageurs veulent ignorer, en quittant les autres hommes et en s'aventurant au cœur de la nature, resurgit au fond des plus sûres retraites, pour les entraîner malgré eux vers leur néant ou leur désir de néant.

Par ailleurs, si l'ambiguïté architecturale du roman noir par rapport à la réalité historique résout négativement l'alternative individu-société qui obsède la fin du siècle, elle ouvre en même temps sur un autre abîme : dénoncée, modifiée, amplifiée jusqu'à faire résonner au plus profond de l'âme humaine les voix de la révolte, l'horreur de la réalité fait soudain écho à l'inavouable de désirs qui échauffent de plus en plus les têtes. Car à dévoiler les prisons successives que l'être installe à l'intérieur de lui-même, on découvre en même temps que cette prison peut devenir le lieu d'un inquiétant plaisir. Les images les plus troublantes surgissent alors pour remodeler les forteresses du mal que sont les prisons, les couvents, les maisons de force, et ce, au cours d'une surprenante prise en charge de la perversité, de la déraison, au moment où tout les accable. On se souvient de ce que la répression de la folie doit à l'âge classique. Et le fait que le roman noir devienne le lieu imaginaire où la prison est niée par l'idée d'un plaisir obscur et souverain, garanti par l'enfermement, prend une valeur révolutionnaire qui déjoue cependant une fois encore tout ancrage historique. Comme si là contre tout espoir, la sensibilité plurielle offrait à chacun de déterminer inconsciemment son espace, au plus loin de la cité et de son ordre, là où l'écume naît indifféremment de la décomposition ou de l'effervescence de la vie.

Nul doute que ce retournement de la prison en lieu de plaisir, affirmant la dépendance souterraine des constructions libertines et des constructions répressives, révèle la contradiction fondamentale d'un monde en train de sombrer, qui fonde la violence du discours prérévolutionnaire. Mais encore cette confusion des lieux de peur et des lieux de plaisir dans l'imaginaire européen, qui donne à chacun l'occasion de se rendre fantasmatiquement maître de l'espace destiné à l'asservissement du nombre, préfigure paradoxalement la fête révolutionnaire alors conçue comme « l'éveil d'un sujet collectif qui naît à lui-même, et qui se perçoit en toutes ses parties, en chacun de ses participants [68] ». Et quand la première fête révolutionnaire aurait été la prise de la Bastille, c'est-à-dire la prise de possession collective d'un lieu clos ou bien l'abolition d'un décor qui sépare, le roman noir propose la même fête, mais à l'intérieur d'un décor où

Comme si là contre tout espoir, la sensibilité plurielle offrait à chacun de déterminer inconsciemment son espace, au plus loin de la cité et de son ordre, là où l'écume naît indifféremment de la décomposition ou de l'effervescence de la vie.

Gravure de Pierre Paul Prud'hon, 1797, inspirée par l'histoire de *Phrosine et Mélidore* de Pierre Joseph Bernard.

la séparation ne se serait maintenue que pour exalter la souveraineté de tous ceux qui s'en rendent fantasmatiquement maîtres. Ainsi niant à la fois le caractère exclusif de la fête aristocratique et le caractère collectif de la fête révolutionnaire, l'architecture noire ouvre un *espace de subversion* où le nombre délimite négativement le champ d'affirmation de l'unique pour en faire une prison, de même que l'unique y vient nier la possibilité d'un plaisir partagé, excluant tout ce qui s'oppose à sa propre satisfaction. Car illustrant l'idée fort répandue en cette fin de siècle que « l'extrême liberté de quelques-uns attente à la liberté de tous [69] », les demeures du roman noir exposent aussi que la liberté de tous porte atteinte à la liberté de chacun dont elles esquissent les perspectives illimitées.

C'est à ce point précis que le roman noir rencontre la révolution, quand celle-ci se loge dans la réalité comme un noyau mobile. Il n'empêche pourtant que le fiévreux discours noir, qui se ressource à ce point obscur où naît la révolte, dénoncera l'ordre révolutionnaire. Jamais la sinuosité organique de l'architecture intérieure de ces constructions ne sera si obsédante, si envahissante qu'au moment où les façades révolutionnaires tentent de cacher, sous l'outrance rhétorique d'un style néo-classique, que leurs fondements plongent dans les ténèbres du désir et de ses terrifiantes exigences. Et l'insistante complexité comme l'insupportable pesanteur des constructions noires, à ce moment de l'histoire, disent ce que leur hautaine architecture doit aux grandes lignes du désespoir qui, plus que jamais, déterminent alors leur dessin.

Nouveau retournement : le lieu de plaisir devient celui du désespoir. D'où sans doute l'« inquiétante étrangeté » de tous ceux qui semblent régner en maître sur ces forteresses, malgré une lointaine ressemblance avec les séducteurs et les libertins qui font alors fortune dans l'univers romanesque. Mais leur charme agit bien autrement pour la raison qu'ils inquiètent longtemps avant d'apparaître. Peu importe alors qu'on prenne soin de se référer à la folie inquisitoriale comme le fait Benedicte Naubert en préface à son roman *Herman d'Unna* : « Je ne crois pas exagérer, en disant qu'à cette époque il y avait dans l'empire plus de cent mille francs-juges, qui, par toutes sortes de moyens, mettaient à mort quiconque avait été condamné par le tribunal... Il n'y avait aucune objection à faire contre les sentences de ce tribunal. Il fallait les exécuter sur-le-champ avec la dernière ponctualité et la plus parfaite innocence, quand bien même on aurait regardé le coupable comme le plus honnête homme du monde [70]. » Il n'est pas de roman noir qui ne mette spectaculairement en scène l'absence ou l'imprécision du tourmenteur.

Absence ostentatoire qui fait en quelque sorte basculer la question du mal dans l'imaginaire. Dans la mesure où le scélérat du roman noir en acquiert une toute-puissance cosmique qui met paradoxalement le mal à la portée de tous. Il est ici, il est là, il est dans l'air comme une redoutable énergie avec laquelle il va falloir se mesurer. Du même coup, le voilà rendu à l'état de nature, le voilà rendu à son innocence première.

En réalité, il n'y a que Sade pour avoir aussi tenté sur ce point de changer les conditions de la réflexion, alors que la raison se laisse comme jamais prendre au piège de ses contradictions. Tout l'effort analytique d'une science de l'homme n'est-il pas en train d'être violemment contredit par cette valorisation exaltée des passions qu'on retrouve indifféremment chez Hume, Vauvenargues, Diderot, La Mettrie, Helvétius ? Et ici encore, où la réflexion générale recule ou sombre en croyance, l'imagination plurielle rejoint Sade opposant aux crispations réductrices de la raison une démesure lyrique qui seule s'avère en mesure de sonder le cœur humain.

On évaluera peut-être mieux encore l'audace de l'entreprise quand on se sera remis en mémoire le discours qui s'impose avec la force de l'événement révolutionnaire et sur lequel par exemple le *Rapport présenté au nom du Comité de Salut public du 5 février 1794* fonde « les principes de morale politique qui doivent guider la Convention nationale » : « Quel est le but où nous tendons? La jouissance paisible de la liberté et de l'égalité; le règne de cette justice éternelle, dont les lois ont été gravées, non sur le marbre ou sur la pierre, mais dans les cœurs de tous les hommes, même dans celui de l'esclave qui les oublie, et du tyran qui les nie.

« Nous voulons un ordre de choses où toutes les passions basses et cruelles soient enchaînées, toutes les passions bienfaisantes et généreuses éveillées par les lois... Nous voulons, en un mot, remplir les vœux de la nature, accomplir les destins de l'humanité, tenir les promesses de la philosophie, absoudre la providence du long règne du crime et de la tyrannie. »

À elle seule, cette intervention de Robespierre peut passer pour la cristallisation politique de tout le discours utopique du XVIIIe siècle, ou encore pour la manifestation exemplaire du caractère utopique de tout discours organisé à des fins stratégiques. Or du fait même que les volontés particulières y sont appelées à se retrouver et se perdre dans cette volonté commune qui détermine l'espace de la représentation nationale, l'individualité est inévitablement renvoyée à sa particularité extrême, à sa folie. Et puisque « les avantages par lesquels les citoyens diffèrent sont au-delà du caractère de citoyen », comme le souligne Sieyès dans *Qu'est-ce que le Tiers-État,* de toute évidence la souveraineté individuelle est niée par la représentation révolutionnaire qui l'enferme dans sa singularité absolue.

Force nous est alors de constater qu'à ce nivellement par les vertus du nombre, le château du roman noir oppose son obscure verticalité. Et la consolidation spectaculaire de son architecture au cours des années révolutionnaires, le renforcement de ses murs, son gigantisme de plus en plus inquiétant, ne témoignent de rien d'autre que de cette lucidité nocturne qui refuse le mensonge de l'« hédonisme politique » en train de se constituer. L'enfouissement remarquable de ces constructions imaginaires au cours de cette période ne répond-il pas à l'ascension finale qui couronne toutes les mises en scène révolutionnaires et dont la montée à l'échafaud est d'ailleurs la dérision obscure? Niant tout à la fois la question de l'origine et du commencement, le roman noir ramène à la nuit du désir et au vide du tombeau, au moment même où la mort de l'individu est exaltée parce qu'elle le fait définitivement rentrer dans le corps de la mère patrie, parce qu'elle efface à la lumière de l'éternité son irréductibilité, parce qu'elle l'abstrait de sa singularité en l'élevant à l'idéal héroïque du sacrifice total de sa souveraineté individuelle.

Pourtant, il ne faudrait pas se méprendre sur la verticalité obscure — vaste manteau, ample cape — qui telle une muraille enferme le tourmenteur dans une artificialité définitive, dans une inhumanité figée. Il ne faudrait pas y voir seulement la réplique négative de l'abstraction radieuse grâce à laquelle l'idéologie révolutionnaire abolit toute singularité. Figure aussi creuse que la nuit dont il est issu, le tourmenteur du roman noir affiche cependant une verticalité, une rigidité qui ne sont pas sans faire penser à celles dont s'habille Dracula. Seulement à évoquer tour à tour les Schedoni, Ambrosio, Jérôme, Salviati... et même Melmoth, on s'aperçoit très vite que leur silhouette est encore loin d'évoquer une figure phallique aussi aboutie que celle du prince des vampires. Non qu'ils n'en aient déjà la stature, l'emphase, jusqu'à ce fameux regard sévère et perçant dont la valeur sexuelle

228

ne fait aucun doute quand ils en dardent leurs victimes pour les posséder dans une soumission quasi hypnotique. Comme Dracula, ils paradent. D'ailleurs, tout favorise leur exhibitionnisme, accentué par l'ombre qui les environne : les plus spectaculaires entrées en scène leur sont ménagées, comme si le vide était organisé pour recevoir leur grandiloquente toute-puissance. Mais cela ne suffit pas pour qu'ils se confondent avec la forme draculéenne, définitivement réifiée en objet sexuel absolu. Eux tiennent à la vie, pourrait-on dire à l'inverse de Dracula, par un fil ténu mais qui sertit d'incandescence les pensées les plus audacieuses du moment. En fait, les scélérats du roman noir doivent aussi et surtout leur existence à ce désir de connivence, d'intimité avec la nature — dût-il emprunter des voies maudites — qui sous-tend aussi bien la démarche encyclopédiste, le courant illuministe que la pensée de Sade et peut-être même le mouvement révolutionnaire. Et c'est pourquoi il manque à tous ces Schedoni, Montoni, Ambrosio, ce glacis hermétique qui clôt la figure draculéenne sur elle-même, dès lors qu'il n'est plus nécessaire de masquer le gouffre où certains ne cherchent qu'à s'aventurer.

Et cette audace intellectuelle et sensible croissant avec les dernières années du siècle entraîne à une érotisation spectaculaire de l'univers noir. Jamais absente de ces livres, la sexualité y était jusqu'alors évoquée négativement ou figurée symboliquement à travers les ruses mécaniques du décor. Mais il faut attendre 1790 et la montée de l'anticléricalisme, attisant l'imagination frénétique de Lewis, pour qu'un viol ait réellement lieu à l'intérieur de ces forteresses; même s'il n'est pas de roman noir qui ne se développe en métaphore de cette violence faite à la nature, s'imposant de plus en plus, comme unique solution à la crise de la pensée européenne qui est en train d'être vécue. Une fois encore, Sade aura été le premier, du fond de sa solitude, à avoir mis en lumière l'obscure nécessité qui lie la rigueur de la connaissance à l'agressivité sexuelle. Et qui plus est, avec une violence de pensée qui lui permet dans son injonction au romancier de l'*Idée sur les romans* de qualifier comme exclusive, inconditionnelle et essentiellement transgressive la nature de ce rapport : « Ô toi qui veux parcourir cette épineuse carrière, ne perds pas de vue que le romancier est l'homme de la nature; elle l'a créé pour être son peintre; s'il ne devient pas l'amant de sa mère dès que celle-ci l'a mis au monde, qu'il n'écrive jamais, nous ne le lirons point; mais s'il éprouve cette soif ardente de tout peindre, s'il entrouvre avec frémissement le sein de la nature pour y chercher son art et puiser des modèles... il a deviné l'homme, il le peindra. »

Il est sûr que l'idée d'inceste hante tout le XVIIIe. Mais serait-on tenté d'y voir l'expression d'un désir général de réinventer l'amour (car paradoxalement l'inceste semble être le seul lien fort qui puisse alors unir deux êtres) au mépris des lois fondatrices de la société, que l'association inceste-viol ne se produit qu'à l'intérieur du roman noir. Ce qui peut paraître aussi exceptionnel que naturel, quand tout au long du siècle la réflexion philosophique, dans ce qu'elle énonce de nouveauté subversive, est soustendue par les mêmes fantasmes de viol incestueux.

Ainsi, chez Kant évoquant dans sa préface à la seconde édition (1767) de la *Critique de la Raison pure* les attitudes similaires de Galilée et de Torricelli en ce qu'« ils comprirent que la raison ne voit que ce qu'elle produit elle-même d'après ses propres plans et qu'elle doit prendre les devants avec les principes qui déterminent ses jugements, suivant des lois immuables, qu'elle doit obliger la nature à répondre à ses questions et ne pas se laisser conduire pour ainsi dire en laisse par elle »; ou encore chez Saint-Just : « il faut tout saisir dans sa source, pour ne plus errer ensuite, et ce n'est que par la connaissance exacte de la nature qu'on peut la contraindre avec plus d'artifice », lit-on dans *L'Esprit de la Révolution*.

À cet égard, il n'est pas indifférent que l'apogée du

roman noir se situe entre 1790 et 1795, au moment où il est plus que jamais question de s'en prendre à l'ordre des choses. L'accoutumance ne joue aucun rôle dans ce processus et la violence des faits illustre autant qu'elle l'explique un bouleversement sensible sans précédent dans la civilisation européenne. Les premiers livres noirs, on le sait, ont vu le jour en Angleterre dans un climat post-révolutionnaire et surtout d'incroyance grandissante, mais déjà la détérioration de la figure divine y favorise une double volonté agressive de conquête et d'affirmation individuelle. Mouvement d'insoumission qui s'accompagne d'une angoisse à la mesure de son audace, et c'est pourquoi les tourmenteurs du roman noir sont encore nantis au départ d'éléments paternels, et pas seulement phalliques comme Dracula, qui permettent de les distinguer de la nuit mouvante d'où ils surgissent. Ainsi, apparaîtront-ils chronologiquement sous les masques successifs du propriétaire, du père, du mari et du religieux – autant de livrées servant à justifier fallacieusement leur violence – que leur existence romanesque contribuera à vider de réalité : le propriétaire s'avérera être un usurpateur, le père ou le mari un tortionnaire légal, le religieux un criminel consacré, chacun de leurs gestes les détachant de plus en plus de leur apparence, pour dévoiler tour à tour le mensonge de ce qui se cache derrière la propriété, la famille, la religion. Processus d'intériorisation qui s'aggrave avec les années pour rendre spectaculairement compte d'une distension entre l'être et l'avoir qui pourrait être aussi une façon d'évoquer le profond malaise intellectuel et sensible de l'Europe à ce moment. Et si toute la machinerie du roman noir, en tant que construction mentale, était déterminée par ce divorce entre l'être et l'avoir, il pourrait être intéressant de rappeler que Hegel, analysant dans la *Phénoménologie de l'Esprit* la situation qui nécessite l'accession à la « liberté absolue » à l'intérieur de l'expérience révolutionnaire, fait remarquer qu'alors « en fait ce qui est présent, ce n'est plus qu'une vide apparence d'objectivité séparant la conscience de soi de la possession ». Tous les personnages du roman noir ne sont-ils pas façonnés en fonction de cette « vide apparence d'objectivité » ?

Et c'est ce nivellement par l'abîme que l'architecture noire oppose à la hiérarchie symbolique comme à la hiérarchie réelle qu'instaure l'ordre révolutionnaire. Ainsi, au moment où l'Europe entière a les yeux fixés sur la France, où il est évident pour tous que « La Révolution française... intéresse l'humanité entière », comme l'écrit Fichte en 1793, la machinerie du roman noir ne cesse-t-elle d'ouvrir des galeries d'obscurité où elle poursuit son travail à un rythme de plus en plus accéléré. Faut-il y voir une mise en cause de la représentation révolutionnaire puisque, comme le remarque très justement J.-Y. Guiomar : « l'espace imaginaire de la souveraineté nationale s'était dilaté à partir de l'espace réel de la représentation nationale, puis s'était rétracté sur celle-ci, hypostasiée dans la personne du Représentant des Représentants... À la fin du processus de rétraction de l'espace de la représentation, il ne reste plus que l'enveloppe charnelle du corps de Robespierre [71] » ? À ce rétrécissement suicidaire de la souveraineté nationale, la machinerie noire aurait répondu en dilatant l'espace imaginaire de la souveraineté individuelle. Dilatement ténébreux qui ramène, paradoxalement, à l'origine réelle, à l'origine collective de l'accession de la bourgeoisie au pouvoir, en évoquant la sombre communion de la violence populaire dont la puissance négatrice confère à chacun des participants l'irréductible souveraineté de sa criminalité.

Aussi, que les histoires noires de l'époque révolutionnaire se déroulent électivement dans les couvents rend compte de la réalité symbolique de ce qui se joue dans la nuit des consciences : c'est dans l'ancien espace de la soumission que se conquiert la liberté et ce, au prix de la plus grande violence, de l'affirmation d'une noirceur que l'individu voit surgir du plus profond de lui-même. La réalité de l'asservissement monacal, renvoyant à une structure généralisée de l'asservissement par suite de l'expansion géographique de l'organisation religieuse, favorise alors l'investissement symbolique du couvent comme décor privilégié du roman noir. J'irais même jusqu'à dire que s'il y a influence directe de la Révolution sur le genre sombre, c'est grâce au vent d'anticléricalisme qui se lève avec elle. À cet égard, l'éclosion à partir de 1793 de ce qu'on a appelé le « théâtre monacal » [72], franchement anticlérical, aura sûrement joué un rôle : le stéréotype de la jeune fille condamnée par un père tyrannique ou une famille cupide à être recluse sa vie entière dans un couvent, renvoie à une situation clef du roman noir traitée désormais avec une intensité nouvelle, toute en émotions fortes et sensations brutales.

Je n'oublie pas que les premières manifestations du roman noir sont liées aux conquêtes de la Révolution anglaise de 1688 et déjà au rejet du catholicisme. Cependant, la réalité beaucoup plus violente de la Révolution française, surtout en ce qui concerne la question religieuse, permet de voir le véritable enjeu, celui de la souveraineté individuelle s'opposant à toute transcendance spirituelle ou temporelle. Indépendamment des conditions économiques et politiques qui furent à l'origine du grand mouvement de déchristianisation des années quatre-vingt-treize et quatre-vingt-quatorze, indépendamment de la certitude de poursuivre dans la lutte contre l'Église et les prêtres les conquêtes révolutionnaires en s'attaquant à l'allié « naturel » des anciens oppresseurs, l'enthousiasme prodigieux avec lequel les sans-culottes s'y livrèrent, est évocateur de l'immense désir de liberté qui commençait à devenir réalité sur les tabernacles renversés. La bourgeoisie révolutionnaire le comprit, elle qui, après avoir cru orchestrer la campagne de déchristianisation, dut non seulement y mettre un frein mais encore la dénoncer pour enfin rétablir avec la pompe que l'on sait le culte de l'Être Suprême. Pourtant une telle vague de fond, capable de faire dire au Président de la Convention s'adressant à la Section de l'Unité : « En un instant, vous faites entrer dans le néant dix-huit siècles d'erreurs », même si elle ne parvient pas à bouleverser l'ordre des choses, ne s'efface pas de la mémoire des hommes. Au contraire, elle continue de travailler souterrainement et le fait que dès lors toutes les histoires sombres se déroulent dans les couvents révèle, non la fonction compensatrice de ces livres, mais la déconcertante lucidité qui y est à l'œuvre. Comme si l'imagination plurielle s'attardait à l'endroit même où se fabriquaient les assurances pour l'au-delà au prix des pires crimes d'ici-bas, pour voir et savoir comment et jusqu'où « l'habitude de penser religieusement nous a si bien faussé l'esprit que notre nudité, notre naturel nous épouvantent [73] ».

Et si l'on cherche tant à voir cette nudité, ce naturel, à l'intérieur du roman noir, n'est-ce pas parce que le discours et les images révolutionnaires ne semblent chercher qu'à les dissimuler dans les drapés du modèle romain ? Drapés de l'éternité, drapés dans l'éternité, dont même le relief disparaît aussi bien dans la peinture, dans la sculpture que dans la rhétorique révolutionnaire. Ce refus de l'accident formel – exubérance de la couleur, ruses de l'ombre, caprice du dessin ou bouillonnement du discours – si spectaculaire dans les compositions de David, dans la nouvelle faveur du dessin au trait, dans le poli immaculé des corps de Canova sur lesquels le désir dérape faute d'être jamais retenu par une particularité physique, ou encore dans le caractère sentencieux des écrits de Robespierre, de Saint-Just, cette froide rigueur qui pourrait rassurer un instant l'observateur distrait, rend compte en fait d'une tension extrême.

Tension pétrifiante de tout le corps vers l'idée, tension

suicidaire de la sensibilité vers l'idéal, tension limpide du discours vers la forme lapidaire, elle est le ressort de la représentation révolutionnaire, elle seule peut garantir la pureté terrible qui nie l'obscure violence en exaltant une mort désincarnée. Sans doute, cette tension établit-elle le mensonge idéologique qui fonde la représentation révolutionnaire, se développant sur la distance infinie qu'elle instaure entre l'individu et lui-même, installant en fin de compte la mort comme un point sublime au cœur de la vie. Mais du même coup, elle révèle la formidable pression d'une violence contenue, violence des faits mais aussi violence intérieure, qui, à tout moment risque de compromettre catastrophiquement l'équilibre des tableaux et des discours exemplaires.

Pour prévenir cette menace de la discontinuité, la représentation révolutionnaire impose l'éternité des paroles et des instants privilégiés par une surcharge symbolique. Parade aussi désespérée que volontariste, qui fonde cependant l'illusion de la représentation, puisque tous les hommes de la Révolution la découvrent en eux précisément au moment de la plus extrême tension. Elle se manifeste alors à travers un grand énervement de la pensée qui raye comme une pointe de diamant le glacis romain de la rhétorique. Il suffit de prêter attention à ce que dit Saint-Just : « La vertu épouse le crime dans les temps d'anarchie », ou encore : « Armez la vertu de la dextérité du crime contre le crime. »

La tension est telle qu'au détour d'une phrase, les plus vertueux des révolutionnaires se mettent à parler comme les plus libertins des philosophes. Je dis bien au détour d'une phrase car, même si dans ces moments la formulation n'est jamais tremblée, il s'agit là d'une perception déroutante, confuse, qui surgit en éclair pour disparaître avec l'intensité qui l'a fait naître, pour être aussitôt recouverte par le flux idéologique qui la nie. « Rien ne ressemble à la vertu comme un grand crime », dit encore Saint-Just au cours d'une de ces fulgurantes mises à nu de la violence théorique (remarquées la première fois par Maurice Blanchot en 1965 dans un texte capital *L'Inconvenance majeure* où il rapproche certains propos de Saint-Just de ceux de Sade) qui ne laissent pas de fasciner dans la Révolution de 1789. Et c'est là que le roman noir s'inscrit scandaleusement dans l'histoire de la Révolution, provoquant inlassablement cette troublante perception, pour établir que le mal est de même nature que cette violence intérieure qui ne cesse de surprendre, voire de révolter ceux-là qui s'en font les hérauts les plus décidés : « Les décisions que l'on nous reproche tant, nous ne les voulions pas le plus souvent deux jours, un jour, quelques heures avant de les prendre; la crise seule les suscitait... Nous ne voulions pas tuer pour tuer, c'est trop stupide; nous voulions vaincre à tout prix, être les maîtres pour donner l'empire à nos principes... Au Comité..., nous tous, le jour et la nuit, nous reprenions du même cœur et les mains fatiguées la tâche immense de la conduction des masses... Nous avions les regards portés trop haut pour voir que nous marchions sur un sol couvert de sang », écrira Billaud-Varenne dans ses *Mémoires inédits*. Terrible confession, lourde de tous les léninismes et stalinismes futurs.

Cette criminalité, que tous refusent, innerve en fait chacun des propos, chacune des images de la représentation révolutionnaire. C'est Saint-Just déclarant : « c'est un signe éclatant de trahison que la pitié que l'on fait paraître pour le crime, dans une République qui ne peut être assise que sur l'inflexibilité... La justice n'est pas clémence, elle est sévérité... Vous n'avez pas le droit ni d'être cléments ni d'être sensibles pour les trahisons... Bronzez la liberté... »; c'est Marat dénonçant la « fausse sensibilité » : « Les cœurs sensibles! ils ne voient que l'infortune de quelques individus, victimes d'une émeute passagère; ils ne compatissent qu'au supplice mérité de quelques scélérats!... Nous prostituons la sensibilité et nous méconnaissons le sentiment; nous ne savons pas aimer et nous sommes idolâtres »; c'est encore le Brutus de David face aux licteurs lui apportant le corps de ses fils qu'il a sacrifiés aux principes; c'est enfin l'abbé Morellet suggérant en 1791 « ce qui serait la vraie communion des patriotes, la vraie eucharistie des jacobins », une loi obligeant tout citoyen à se fournir une fois la semaine à une « boucherie nationale construite d'après les projets du grand artiste et patriote David » où serait mise en vente la chair des guillotinés [74].

Or au même moment, à l'intérieur du roman noir au plus loin de l'objectivité historique au feu de laquelle tous veulent s'aveugler, voilà que cette criminalité est revendiquée par d'inquiétants personnages qui, en toute connaissance de cause, affirment leur noirceur. Et il n'est pas indifférent que ce soit à des moines que soit confié le soin de cette terrible révélation. Hommes choisis par Dieu pour leur sainteté, vicaires d'une autre représentation, ce sont eux qui deviennent le théâtre maudit des forces obscures travaillant les replis du cœur humain comme en témoigne le portrait de Schedoni par Anne Radcliffe, devenu depuis le modèle du genre : « Parmi ses confrères, aucun ne l'aimait; plusieurs avaient pour lui de l'aversion, et presque tous le craignaient. Sa figure frappait, mais non pas d'une manière favorable. Il était d'une taille haute et mince, et ses jambes et ses bras étaient d'une grandeur démesurée. Lorsqu'il marchait enveloppé dans la robe noire de son ordre, il avait dans son air quelque chose de terrible et de plus qu'humain. Son capuce jetant une ombre sur la pâleur livide de son visage, ajoutait à la sévérité de sa physionomie, et donnait à ses grands yeux un caractère de mélancolie dont l'effet approchait de l'horreur. Ce n'était pas la mélancolie d'un cœur sensible et blessé, mais celle d'une âme sombre et féroce. Il y avait dans sa physionomie quelque chose de très singulier et qu'on ne pouvait aisément définir. On y voyait les traces de beaucoup de passions qui semblaient avoir formé et fixé des traits qu'elles n'animaient plus. La tristesse et la sévérité y dominaient. Ses yeux étaient si perçants, qu'ils semblaient pénétrer d'un seul regard dans les profondeurs du cœur des hommes et y lire leurs plus secrètes pensées. Peu de personnes pouvaient supporter son coup d'œil; et après en avoir été atteint, on évitait de le rencontrer de nouveau. Cependant, nonobstant son goût pour la retraite et son austérité, il avait déployé dans quelques occasions un caractère qu'on ne lui eût pas soupçonné; et en s'accommodant avec une étonnante facilité à l'humeur et aux passions des personnes qu'il voulait se concilier il avait su les subjuguer entièrement. »

Qu'une telle affirmation de la criminalité soit liée à la solitude monacale, n'est pas sans importance au moment où la représentation révolutionnaire ne retient que ce qui se passe sur la scène éclairée de l'histoire. L'« inconvenance majeure » du roman noir est précisément d'exposer par cet artifice la solitude terrible de l'individu affronté à sa propre violence intérieure, solitude que l'idéologie révolutionnaire nie en la rejetant dans l'ancien monde et en inaugurant, sous le prétexte de fonder la « nation », une complicité de fait qui se referme sur la criminalité de chacun.

On se souvient des interminables débats à la Convention qui précédèrent le vote de la mort du roi. À l'exception de Danton s'écriant : « nous ne voulons pas condamner le Roi, nous voulons le tuer », aucun des révolutionnaires, soudain affrontés à leur propre violence devenue manifeste, aucun ne consentit à s'y reconnaître. Et il fallut le coup de force idéologique et rhétorique de Robespierre du 3 décembre 1792 : « Lorsqu'une nation a été forcée de recourir au droit à l'insurrection, elle rentre dans l'état de nature à l'égard du tyran », pour que la mort de Louis XVI soit votée. Se servant de ce crime pour inaugurer une autre légalité, Robespierre n'en évoque pas moins au cours de son discours la criminalité révolutionnaire qui fonde ce nouvel ordre des choses mais en rejetant immédiatement ses causes dans l'ancien monde : « Les peuples ne jugent pas comme les cours judiciaires; ils ne rendent point de sentences; ils lancent la foudre; ils ne condamnent pas les rois, ils les replongent dans le néant; et cette justice vaut bien celle des tribunaux... Nous invoquons des formes, parce que nous n'avons pas de principes; nous nous piquons de délicatesse parce que nous manquons d'énergie; nous étalons une fausse humanité, parce que le sentiment de la véritable humanité nous est étranger; nous révérons l'ombre d'un roi, parce que nous ne savons pas respecter le peuple; nous sommes tendres pour les oppresseurs, parce que nous sommes sans entrailles pour les opprimés. »

Cette contradiction inaugurale, tout le discours révolutionnaire ultérieur va servir à la masquer car elle est insupportable à tous ceux qui rêvent de l'avènement de l'homme naturel. Vraisemblablement, Sade fut le seul, avec *Français, encore un effort...*, à déterminer consciemment ce point névralgique de la conscience morale de son époque, en dévoilant quelles forces sont en jeu derrière le visage rassurant du républicain sensible et bon. Toutefois, dans le même temps, le roman noir reproduisant artificiellement les pires conditions pour que se manifeste cette criminalité, niée, refusée, refoulée partout ailleurs que dans l'enceinte de ses murs, rejoue fantasmatiquement le drame idéologique de la Révolution de 1789 et qui est aussi celui de toute révolution.

Ainsi, au moment où l'idéologie révolutionnaire empêche la plupart de se reconnaître dans les plus subversifs de leurs gestes ou de leurs propos dont ils se laissent dépouiller définitivement, afin de ne pas entraver la cohérence du discours manifeste, c'est-à-dire au moment où l'individu est contraint de renoncer à sa souveraineté pour entrer dans l'histoire, la machinerie noire développe le mouvement contraire, faisant la part la plus belle aux scélérats, à ceux qui ont l'audace de déserter l'image « positive » de l'homme, véhiculée par toute idéologie sur le point de triompher. « ...toute révolution, toute insurrection est toujours quelque chose " d'immoral ", auquel on ne peut se résoudre à moins de cesser d'être *bon* pour devenir " mauvais " ou – ni bon ni mauvais... Les hommes de la Révolution, " immoraux et impies ", avaient, eux, juré fidélité à Louis XVI, ce qui ne les empêcha pas de décréter sa déchéance et de l'envoyer à l'échafaud; action immorale, qui fera horreur aux honnêtes gens de toute éternité », comme le dira si clairement Max Stirner dans *L'Unique et sa propriété* en 1845. Mais telle est déjà la nouveauté radicale que dévoile la machinerie du roman noir.

Nouveauté bouleversante quand on est aujourd'hui en mesure, à la suite des grands désenchantements politiques du xxᵉ siècle, d'évaluer ce qui se terre sous l'angélisme de ces images « positives ». Commençait-on à s'efforcer de détruire le négatif compromettant, qu'on découvrait déjà dans les chambres obscures du genre sombre que le négatif et le positif sont peut-être complémentaires mais qu'ils ne coïncideront jamais.

Terrible découverte que le siècle avait inconsciemment pressentie mais qui, confirmée par la violence des événements, aggrave le malaise qui avait ouvert et refermé sur lui-même l'espace du roman noir : « L'échafaud, les ennemis du peuple présentés au peuple, les têtes qu'on coupe uniquement pour les montrer, l'évidence – l'emphase – de la mort nulle, constituent non pas des faits historiques mais un nouveau langage : cela parle et cela est resté parlant », souligne Maurice Blanchot [75]. Ce nouveau langage étouffé, dès qu'il ne sert plus, s'inscrit pourtant au plus profond des sensibilités. C'est alors que dans toute l'Europe le genre noir s'impose avec une violence déroutante : jamais encore les situations qu'il évoque n'ont été si cruellement rapportées, jamais encore

Qu'une telle affirmation de la criminalité soit liée à la solitude monacale n'est pas sans importance au moment où la représentation révolutionnaire ne retient que ce qui se passe sur la scène éclairée de l'histoire.

Illustration pour *Le Moine* de M. G. Lewis, trad. de l'anglais, Paris, an V, chez Maradam.

les décors qu'il suggère n'ont été aussi artificiels, jamais encore les personnages qu'il fait vivre n'ont été si peu humains. Car le flot incertain de désirs, d'angoisse et de désespoir, charriés dans ces livres, est soudain pris dans l'éclairage d'une violence qui, affleurant continuellement au bord des gestes et des pensées, surgit par instant comme un trait de lumière au-dessus du gouffre de plus en plus profond entre la conscience et l'existence, pour s'éteindre aussitôt dans une obscurité d'autant plus oppressante. Il s'ensuit que le mécanisme du roman noir devient de plus en plus précis, connaît de moins en moins de défections et fonctionne avec une rigueur de plus en plus grande jusqu'à dévoiler une crise fondamentale de la représentation.

Un engrenage de néant

Mais pour dire quoi au juste, pour montrer quoi de plus que cette criminalité qui apparaît être le fait de tous et que tous cherchent à nier? Tous, jusqu'aux très jeunes romantiques allemands d'abord fascinés par « la mouvante réalité révolutionnaire, avec ses problèmes permanents, mais toujours reposés d'une façon nouvelle, [qui] va au-devant des intentions les plus secrètes de cette jeunesse – Novalis dira : de ses *songes* », comme le rappelle Roger Ayrault dans *La Genèse du romantisme allemand*. Et c'est bien cette façon de se passionner pour une réalité infiniment changeante, pour une réalité dont les figures ne cessent de surprendre une pensée impatiente de l'être, qui rend encore plus consternante la grande impasse romantique faite sur l'énigme noire continuant d'errer dans les souterrains de l'époque.

Comment, en effet, une telle jeunesse de la pensée aura-t-elle pu se laisser, tout d'un coup, entraver par les reflets de l'histoire? « Le génie des temps m'a touché », écrit Baader dans son *Journal intime,* le dernier jour de l'année 1792. Cette phrase, chacun de ceux qui aimanteront le champ du romantisme aurait pu l'écrire dans l'enthousiasme historique qui finira pas circonscrire leur pensée bien en deçà de son élan premier. Non que je veuille restreindre d'une façon ou d'une autre la portée de la comète romantique, je parle ici des pièges du temps

245

qui nous guettent tous dans la solitude même de la pensée. Et pour constater chaque jour ce que le xxe siècle nous aura réservé, sur ce plan, d'amoindrissements en chaîne, pour ne pas dire de massacres en série, je ne peux m'empêcher d'interroger l'aventure romantique, de chercher l'écueil le long duquel elle a sombré. Je sais que les bons esprits d'aujourd'hui — et peut-être les meilleurs — préfèrent ne pas s'attarder sur le destin de la pensée romantique, s'égarant en quelques années dans les pires marécages du nationalisme, de la religion et même du totalitarisme. Mais c'est là une position beaucoup trop littéraire pour que je consente à m'y tenir.

« Où est le romantisme? À Iéna ou à Vienne? Là où il se manifeste, riche de projets? Là où il s'éteint, pauvre d'œuvres? Là-bas, maître d'une productivité sans entraves (selon la définition de Schelling)? Ou bien quand il apparaît que la sublime capacité de produire, précisément par le refus des entraves, n'a presque rien produit et la pure force créatrice n'est pas restée pure et n'a cependant rien créé? Puis, à nouveau, tout se retourne. Le romantisme finit mal, c'est vrai, mais c'est qu'il est essentiellement ce qui commence, ce qui ne peut que mal finir, fin qui s'appelle suicide, folie, déchéance, oubli », dit encore Maurice Blanchot [76].

C'est vrai, rien n'est plus vrai, mais il y a mille façons de mal finir et le romantisme finit peut-être mal de cela même qu'il n'a pas commencé à voir. Car si le romantisme est bien cet « excès de pensée » dont parle Maurice Blanchot, comment ne pas y repérer le signe d'un manque dans sa plus ou moins forte allégeance à la nouveauté politique? Ainsi Schleiermacher écrivant à son père en février 1794 : « ...j'aime beaucoup la Révolution française prise dans son ensemble, sans louer du même coup, certes... tout ce qu'y ont fait les passions humaines et les idées excessives [77] »; ou encore Wackenroder : « L'exécution du roi de France a éloigné de la cause des Français tout Berlin glacé d'effroi, mais non pas moi justement.

Je pense comme auparavant sur leur cause. Je ne suis pas à même de juger s'ils emploient les bons moyens à cet effet, parce que je sais très peu de choses en fait d'histoire. » Et alors que Novalis dans sa lettre du 1er août 1794 à Friedrich Schlegel ne craint pas de poser la question de la frontière entre despotisme et esprit révolutionnaire pour conclure : « Mais toujours ce même cercle vicieux : pour qu'il y ait une pensée libre, il faut la liberté, et pour qu'il y ait la liberté, il faut une pensée libre. Voilà le nœud à trancher; il ne sert à rien de vouloir lentement le défaire », Schelling écrit à Hegel en 1796 : « En fait, je crois avoir le droit d'exiger de toi que tu rejoignes ouvertement aussi la bonne cause. » Quant à Friedrich Schlegel, son engagement ne fait aucun doute quand il écrit encore en mai 1796 : « Je ne vais pas nier devant toi que le républicanisme me tient encore un peu plus à cœur que la divine critique et la toute plus divine poésie. » Étrange va-et-vient entre la pire sentimentalité et le plus sinistre rigorisme. Mais combien d'entre nous n'ont pas encore réussi à échapper à ces tourniquets de l'actuel où la pensée disparaît avec son propre horizon?

Ce bref rappel n'avait pour but que de représenter comment à un moment de l'histoire la pensée la plus neuve consent tout d'un coup à en passer par où passe la réflexion politique moyenne. Ou plus exactement comment une pensée – fût-elle la plus aiguë – n'hésite pas à se défaire de sa spécificité sous la pression des événements. Ce danger, le surréalisme le frôla à plusieurs reprises, ne devant retrouver sa cohérence qu'à la suite de ressourcements violents, de mouvements d'occultation intempestifs qui rétablissaient la spécificité de son écart poétique avec l'esprit du temps. Mais on ne saurait compter au XXe siècle les aventures de l'esprit tournant court devant l'intimidation marxiste. Les unes et les autres illustrent ce risque continuel de contamination de la pensée vive par l'idéologie. Je veux parler de cette façon de voir où l'horizon se replie le long de l'histoire au détriment de toutes les autres perspectives. Ainsi en va-t-il avec la pensée romantique qui perd en audace ce qu'elle prête de crédit aveuglé à l'événement révolutionnaire : n'est-ce pas là en effet l'occasion pour le romantisme d'esquiver le problème des problèmes ? C'est-à-dire la question du mal qui est à l'origine de la crise de la conscience européenne et d'où sort précisément le romantisme. Question fondamentale qui écartèle l'époque de l'incroyance et que le romantisme, par idéologie interposée, résout soudain, ou plus exactement évite de la façon la plus rationaliste, de la façon la plus profane, d'ailleurs aidé en cela par les prises de position de Kant, Hegel ou Fichte par rapport à la Révolution française. À considérer le mal sous le seul éclairage de l'histoire, on finit par n'y voir qu'une force de négation nécessaire. On remarquera au passage la fonction dédramatisante de la solution idéologique. Comme si la pensée romantique perdait là sa liberté en même temps que ce qui l'inquiète au plus profond d'elle-même.

Enfin, ce n'est pas le mythe de l'« esprit populaire », « seule authentique parade que l'Allemagne ait opposée aux idées de la Révolution [78] », inspiré des réflexions de Herder et qui, se développant contre les thèses kantiennes de l'*a priori* révolutionnaire, passionnera la deuxième génération romantique, ce n'est pas cette solution de l'irrationalisme politique – où climat, terrain, genre de vie, religion, mœurs, manières, acquièrent le pouvoir de créer un nouvel ordre juridique – qui peut réduire la tension d'où a surgi le romantisme.

Car c'est justement de l'insupportable tension entre passion et raison, sujet et objet, nature et artifice, conscience et rêve, qui ouvre la nuit du roman noir en retrouvant le problème du mal comme ligne de fracture, qu'est né l'excès romantique. Excès qui va justement tendre à se résorber devant les portes de l'Histoire, au point de fausser pour longtemps le regard que l'homme porte sur lui-même.

« Il n'y a pas d'autre connaissance de soi que la connaissance historique. Nul ne sait ce qu'il est, qui ne sait ce que sont ses compagnons et, avant tous, le compagnon suprême au sein de l'alliance, le maître des maîtres, le génie de l'époque », dira Friedrich Schlegel. Il faut convenir qu'unanimement l'époque donne dans la même erreur d'accommodation pour fuir à travers la rédemption historique l'incontournable réalité du mal qui hante ce temps de l'incroyance. Unanimement, si l'univers sadien et l'espace du roman noir ne se rencontraient pas à nouveau pour déceler, bien en deçà de toutes les propositions métaphysiques, théologiques ou idéologiques, la nature même de la criminalité humaine.

Ainsi, alors que Sade s'emploie déjà à inventorier toutes les variantes de la soumission et de la domination pour n'en pas finir de rencontrer à chaque fois le néant au-delà de la jouissance, l'expérimentation noire ne vise qu'à discerner l'obscur engrenage qui broie lentement l'image de l'homme normal. Mais c'est encore trop peu dire : continuellement, l'architecture noire force l'espace mental qu'elle est censée occuper, comme si la machine qu'elle est se développait au fur et à mesure de l'expérience pour s'imposer physiquement jusqu'à l'obsession. Comme si le mécanisme de l'enfermement devait conduire à cette sorte de terrorisme de la sensation qui plonge héros et lecteurs dans une hébétude sensible se développant en ultime enfermement.

« Une voûte hérissée de cailloux, où s'aperçoit la trace humide des reptiles, le flambeau de l'horreur, dont la pâle lumière éclaire un sépulcre, les tourments de la victime innocente que le trépas moissonne à petit bruit, un silence effrayant, l'abandon de toute la nature, voilà ce que lui offre cette triste et fatale enceinte [79]. » C'est à coups de sensations de plus en plus violentes que la prisonnière de ce lieu est progressivement effacée. Réduite à n'être plus qu'un regard terrorisé, elle enregistre, telle une mécanique, les assauts successifs de cet impérialisme physique d'un décor qui la pulvérise en tant qu'intégrité sensible ou affective. En cela réside l'excès de la machinerie noire : rien ne peut dès lors résister à ce dynamisme qui sape les bases idéologiques de l'accouplement de la raison et du sentiment, en affirmant la sensation dans son intensité irréductible.

Mais est-ce vraiment une nouveauté? Par rapport au récit libertin, cela ne fait aucun doute. Le plaisir libertin n'est-il pas essentiellement lié à la continuité d'un discours qui surgit justement à tromper la discontinuité décevante, de ce point de vue rhétorique, de toute pratique sexuelle? On pourrait même considérer les tours et les détours, les élégances et les fuites, les volutes et les courbes de la conversation libertine comme autant de ruses amoureuses pour retrouver les contours d'un corps absent. Mais on le sait, soit pour aller à la découverte de ce corps absent, soit pour échapper à la cérébralité qui organise et ferme sur lui-même le boudoir libertin, l'époque se laisse aussi emporter par le flux sentimental, assez fort pour entraîner avec lui et déformer à sa manière les préoccupations les plus vives du moment. Et il faudrait peut-être se demander si le récit de la jeune Agnès, victime du *Moine,* contrainte à devenir nonne, enfermée enceinte dans l'*in pace* d'un sinistre couvent et enfin condamnée, elle et son enfant, à la plus affreuse mort lente, rend vraiment un son très différent de la frénésie larmoyante qui secoue la fin du XVIIIe siècle.

« Parfois, je sentais le crapaud horriblement enflé et engraissé des vapeurs empoisonnées de la prison, traîner son corps répugnant le long de mon sein; parfois le lézard froid et gluant me réveillait, laissant sa trace visqueuse sur mon visage et se prenant dans les mèches de mes cheveux en désordre. Souvent, à mon réveil, je me suis trouvée aux doigts les anneaux des longs vers qui naissaient de la chair pourrie de mon enfant... »

Ne pourrait-on pas voir là une illustration particulièrement réussie du fameux texte de Diderot *De la poésie dramatique*? « En général, plus un peuple est civilisé, poli, moins ses mœurs sont poétiques; tout s'affaiblit en s'adoucissant. Quand est-ce que la nature prépare des modèles à l'art? C'est au temps où les enfants s'arrachent les cheveux autour du lit d'un père moribond; où une mère découvre son sein, et conjure son fils par les mamelles qui l'ont allaité; où un ami se coupe la chevelure, et la répand sur le cadavre de son ami; où c'est lui qui le soutient par la tête et qui le porte sur un bûcher, qui recueille sa cendre et qui la renferme dans une urne qu'il va, en certains jours, arroser de ses pleurs; où les veuves échevelées se déchirent le visage de leurs ongles si la mort leur a ravi un époux; où les chefs du peuple, dans les calamités publiques, posent leur front humilié dans la poussière, ouvrent leurs vêtements dans la douleur, et se frappent la poitrine; où un père prend entre ses bras son fils nouveau-né, l'élève vers le ciel, et fait sur lui sa prière aux dieux; où le premier mouvement d'un enfant, s'il a quitté ses parents, et qu'il les revoie après une longue absence, c'est d'embrasser leurs genoux, et d'en attendre, prosterné, la bénédiction; où les repas sont des sacrifices qui commencent et finissent par des coupes remplies de vin, et versées sur la terre; où le peuple parle à ses maîtres, et où ses maîtres l'entendent et lui répondent; où l'on voit un homme le front ceint de bandelettes devant un autel, et une prêtresse qui étend les mains sur lui en invoquant le ciel et en exécutant les cérémonies expiatoires et lustratives; où des pythies écumantes par la présence d'un démon qui les tourmente, sont assises sur des trépieds, ont les yeux égarés, et font mugir de leurs cris prophétiques le fond obscur des antres; où les dieux, altérés du sang humain, ne sont apaisés que par son effusion; où des bacchantes armées de thyrses, s'égarent dans les forêts et inspirent l'effroi au profane qui se rencontre sur leur passage; où d'autres femmes se dépouillent sans pudeur, ouvrent leurs bras au premier qui se présente, et se prostituent, etc. »

Et pourtant, la différence est essentielle : autant dans le récit d'Agnès comme dans tous les livres noirs la sensation s'impose à travers son obsédante présence nue, autant dans le texte de Diderot la sensation est ici habillée de tous les oripeaux sociaux, autant elle n'existe que pour servir, pour servir la famille, la maternité, la patrie, le pouvoir, les dieux... On comprendra mieux alors l'ignominie d'un Greuze, précurseur de tous les réalismes socialistes et national-socialistes, où le corps est systématiquement convoqué comme faux-témoin contre l'être sensible de chacun. Je ne sais d'ailleurs pas de plus exacte métaphore du crime idéologique qui consiste en cet asservissement inconscient de l'être par lui-même et en vue duquel, comme pour prévenir toute résistance, les sentiments les plus bas – racisme, patriotisme, nationalisme, moralisme... – sont systématiquement camouflés sous l'innocence naturelle de la sensation.

À l'inverse dans le roman noir, le contour d'aucun rôle social, d'aucune justification idéologique ne vient incarcérer la sensation et maquiller sa violence nue. Et Mario Praz a tout à fait raison de rapprocher dans *La Chair, la Mort et le Diable* ce passage du *Moine* de la scène 1 de l'acte IV de *Roméo et Juliette* : « Oh, plutôt qu'épouser le comte Paris... dis-moi de me cacher là où les serpents ont leurs nids; enchaîne-moi avec des ours rugissants, ou enferme-moi la nuit dans un ossuaire plein d'os de morts, de tibias pourrissants et de crânes jaunes et décharnés; dis-moi d'entrer dans une fosse récente et de me cacher avec le mort dans son linceul même. » Ici et là, même travail pour libérer la sensation des mensonges théologiques, idéologiques, qui nous la dérobe; ici et là, même entreprise pour dégager le corps de tout ce qui nous éloigne de lui ; ici et là, même décapage de l'esprit pour arriver à penser le mal au plus loin de la métaphysique et au plus près de la sensibilité.

La poésie commence toujours par cette périlleuse opération de traquer le mensonge à sa racine sensible. Alors, au moment où l'idéologie cherche à s'emparer de l'esprit occidental, l'importance poétique du roman noir en devient capitale d'inaugurer ainsi l'insoumission de la sensibilité et de la faire surgir du plus enfoui de nous-mêmes.

Il s'ensuit que l'architecture noire tout entière se substitue au discours ordinaire sur la condition humaine : là s'invente un nouveau langage dont les verbes se confondent avec les ressorts de la terrifiante machinerie qui la structure. Et ce langage est celui-là même de la Révolution, non celui des principes mais celui des faits qui viendra assombrir, briser, anéantir le cristal des paroles. Alors que la phrase révolutionnaire cherche à s'affirmer avec la clarté de la période romaine, la transitivité de l'architecture noire expose obstinément le discours sinueux de cette violence, improbable tant qu'elle ne se manifeste pas, qui cependant détermine aussi la pureté tranchante de ce qui est proclamé. En ce sens, la machine du roman noir accomplit là un travail qui n'est pas sans évoquer celui de Sade et au cours duquel les « pensées théoriques libèrent à tout instant les puissances irrationnelles auxquelles elles sont liées », comme le fait remarquer Maurice Blanchot [80].

Seulement dans les livres noirs, la négation se glisse dans l'écart entre les paroles, les comportements et les faits rapportés, tandis que Sade s'emploie au contraire à mettre en évidence la continuité illusoire de l'énoncé théorique et de ses illustrations pratiques jusqu'à ce que ceux-ci s'anéantissent mutuellement « dans l'obscurité des pensées irréfléchies et des moments non formulables [81] ». Ainsi, les scélérats du roman noir parlent-ils fort peu : plus exactement ils se déplacent en faisant sensation, à tous les sens du terme, et sont en quelque sorte contraints de laisser à leurs victimes la gloire de se parer des propos gratifiants de la philosophie au goût du jour, alors que leur absence de discours les retient dans les ténèbres de l'informulé, de l'informulable. L'audace et la lucidité de Sade consistent principalement à briser cet artifice et même à le dénoncer avec la plus grande violence, puisque chez lui les victimes ont perdu le droit mais aussi l'usage de la parole, dès lors exclusivement réservée aux libertins qui en usent avec des moyens théoriques considérables, pour tenter de dire ce que les utilisateurs du roman noir ne font que pressentir.

Sans doute cette différence relève-t-elle du caractère collectif de l'élaboration des demeures noires, empêchant que la lucidité ne s'y aiguise vraiment. Mais s'en tenir à cette différence inciterait à passer à côté du fait que les châteaux noirs et l'univers sadien n'en donnent pas moins sur le même abîme. Car cette utilisation inverse du discours chez Sade et dans le roman noir aboutit à dévoiler sous la transparence des apparences ici l'opacité de l'irrationnel et là l'opacité de la sensation physique. Opacité commune qui, en réalité, inquiète pareillement gestes et discours. Opacité de la couleur noire qui semble remonter inexorablement à la surface de la vie.

Ici, chez Sade, faute de pouvoir s'inscrire sur le corps absent, la négation tourne à vide, s'emballe et se confond avec l'excès qui ne différencie plus l'homme de l'objet. Là, dans le roman noir, à la lumière exclusive de la sensation, on voit au contraire la négation pénétrer les chairs, conquérir leurs territoires muets pour ne les posséder pleinement qu'au moment où l'homme est devenu objet. Mais ici et là, au-delà de la différence de méthode, il s'agit de la même tentative de penser l'impensable, pour arriver à la même découverte qui renvoie religion et idéologie dos à dos : il n'y a pas d'essence du mal, il n'y a pas de fatalité du mal, il n'y a qu'un mécanisme – agissant dans tout, propos, gestes, idées – et en cela réside le mal – dans tout ce qui a pour fin de réduire l'homme à l'objet.

Découverte insoutenable, car ce qui se dit là, chez Sade comme dans le roman noir, ne vise à rien moins qu'à priver la criminalité de toute justification, religieuse, idéologique, politique, sentimentale, philosophique...

Découverte scandaleuse : au bout d'une liberté sans limite, l'homme affronte sa limite, au moment même où il rencontre dans l'autre l'objet qu'il est, l'objet qu'il peut devenir, l'objet qu'il va sûrement devenir. On pourrait dire que la machinerie noire est tout entière construite pour inlassablement mettre en scène ce moment scandaleux, où l'homme, qui croit s'être donné les moyens de devenir sujet, s'arrête soudain devant l'évidence de sa condition d'objet, saisi par la même terreur que tout être affronté à l'aspect définitif du cadavre. Aussi, n'est-il pas surprenant qu'au plus fort des troubles révolutionnaires, cette machine s'emballe puisqu'elle fonctionne à partir de l'évidence du néant de cette mort physique, de cette mort obsédante que l'idéologie révolutionnaire ne cesse d'abstraire dans son discours et son imagerie, promettant aux hommes qu'elle anime de les conduire hors de la durée, à ce point de non-retour où le corps se pétrifie en monument, où la parole se glace en principe? « La montée de Robespierre vers l'Être suprême ne fut pas la montée vers le Dieu transcendant des chrétiens, ce fut l'identification avec l'Indivisible, le point mathématique, l'atome insécable où nulle dualité n'est plus à rechercher. L'Un et l'Indivisible, expression ultime du projet révolutionnaire bourgeois contre la dualité Dieu/Société de l'ancien régime, est un Être de Raison, produit achevé de la métaphysique des XVIIe et XVIIIe siècles exprimée par les mathématiques [82]. »

À cette négation du corps dont se nourrit toute idéologie pour justifier et de ce fait nier sa propre criminalité, le roman noir pareillement à l'univers sadien oppose en fin de compte le néant du corps, comme l'expression la plus évidente du rien autour duquel la vie rôde. Seule façon, encore aujourd'hui valable, de déjouer le mensonge. Le secret est toujours qu'il n'y a pas de secret, et que nous n'en finissons pas d'avoir maille à partir avec le rien. Et il s'ensuit qu'à jouer et à rejouer ce moment de déroute où l'homme, croyant se connaître, s'imaginant capable de se réinventer, s'échappe à lui-même, la machine noire fonctionne de toute évidence à rebours de l'histoire, c'est-à-dire *a contrario* du mouvement historique qui mène alors de l'objet vers le sujet, de l'expérience vers les principes, de la sensibilité individuelle vers la volonté commune. Et ce faisant, elle s'impose comme *la première machine à faire le vide.*

Alors, à mesure qu'on croit entrevoir la possibilité de reconstruire vraiment une nouvelle image de l'homme, même si l'on a besoin pour ce faire de se référer à quelque modèle antique, l'imagination plurielle entreprend à l'ombre des constructions les plus frénétiquement naturelles une dislocation mécanique de la personne humaine. On n'en est plus à vouloir masquer le néant de l'engrenage mais bien au contraire on apprend à voir sous la continuité des apparences un engrenage de néant. Tandis que l'optimisme du siècle se raidit et devient volonté pour reconstruire pièce à pièce, à partir d'une succession de moments édifiants, une image exemplaire de l'homme, on cherche ici à saisir la vision spectrale de tous les mouvements humains. Entreprise inquiétante, entreprise désespérée, entreprise sauvage dont la violence collective rejoint curieusement la lucidité solitaire de Benjamin Constant dans une lettre du 4 juin 1790 : « tout à présent se trouve fait dans un but qui n'existe

Opacité de la couleur noire qui semble remonter inexora-
blement à la surface de la vie.

Illustration pour *Phédora, ou la Forêt de Minski* de Mary Charlton, trad. de l'anglais, Paris, an VII, chez Denné.

plus, et... nous, en particulier, nous sentons destinés à quelque chose dont nous ne nous faisons aucune idée; nous sommes comme des montres où il n'y aurait point de cadran, et dont les rouages, doués d'intelligence, tourneraient jusqu'à ce qu'ils fussent usés, sans savoir pourquoi et se disant toujours : puisque je tourne, j'ai donc un but ».

Mais ce n'est pas seulement parce qu'au milieu du désarroi général, on retrouve instinctivement ce mouvement élémentaire de l'esprit humain qui tend à extérioriser la peur, les désirs, toute l'intimité de l'être, afin de mieux la déchiffrer et peut-être alors la reconnaître pour sienne, que celle-ci est soumise au même régime que l'objet. Là quelque chose bouge dans l'histoire de la pensée occidentale : ne s'agit-il pas de savoir aussi et surtout comment s'articulent, au plus profond de l'homme, la modération et l'excès, la raison et la folie, la lucidité et le délire? Or, il n'y a de mesure que de l'objet et dans l'espace du vouloir et du subir absolus que révèle la machinerie noire, l'homme n'est plus qu'un objet et rien d'autre. Pour le temps de la fiction, l'objet-victime et l'objet-bourreau seront totalement identiques à eux-mêmes et c'est là le commencement d'une raison; on pourra alors les distinguer l'un de l'autre et c'est là le commencement d'une lucidité. Et la machinerie noire faisant l'humain semblable à la machine jusque dans ce qui le différencie de l'objet mais aussi de l'animal, c'est là enfin le commencement d'une alliance définitive de la mécanique avec ce qui va devenir la tradition noire.

Voilà d'ailleurs peut-être venu le moment d'en finir avec la regrettable confusion qui jusqu'à aujourd'hui n'a cessé d'associer plus ou moins explicitement noir et satanisme, ou démonisme. À commencer par Goethe confiant à Eckermann : « Le démonique est ce qui ne peut s'expliquer par l'intelligence ou par la raison », mais qui semble parler de tout autre chose dans *Poésie et Vérité* quand il s'explique sur ce démonique et dit qu'à un certain moment « il crut découvrir dans la nature vivante et sans vie, animée et inanimée, quelque chose qui ne se manifeste que par contradictions et, par conséquent, ne pouvait être rassemblé sous aucune notion, bien moins encore sous un mot. Ce quelque chose n'était pas divin, puisqu'il semblait irraisonnable : il n'était pas humain, puisqu'il n'avait pas d'intelligence; ni diabolique, puisqu'il était bienfaisant; ni angélique, puisqu'il faisait souvent paraître de la méchanceté. Il ressemblait au hasard, car il ne montrait aucune suite; il avait un peu l'air de la Providence, car il dénotait un enchaînement. Tout ce qui nous paraissait limité était pénétrable pour lui; il semblait en agir arbitrairement avec les éléments nécessaires de notre existence; il resserrait le temps et étendait l'espace. Il semblait ne se complaire que dans l'impossible, et repousser le possible avec mépris. Cet être, qui paraissait pénétrer entre tous les autres, les séparer, les unir, je l'appelais *démonique*. »

Texte superbe qui évoque peut-être comme aucun autre la perspective noire et qui laisse à penser que celle-ci ne naît pas d'un pur et simple renversement des valeurs humanistes, comme on a la paresseuse habitude de le penser. Ce qui conduit d'ailleurs les mieux intentionnés à se servir de l'expression « romantisme noir » pour couvrir un fatras nécrophilico-démoniaque où dans les meilleurs des cas *(Les Cahiers de l'Herne)* [83] Walpole voisine avec Michel de Ghelderode et dans le pire (Mario Praz, *La Chair, la Mort et le Diable*) [84] Sade avec D'Annunzio. Confusion moins inoffensive qu'on pourrait le croire car elle aboutit à faire de l'univers noir le négatif caricatural des valeurs en cours et en fin de compte à ramener tout le courant noir dans le champ idéologique, comme si en dehors il n'y avait pas de salut, il n'y avait pas de pensée.

Et je me demande aujourd'hui si je n'ai pas pris la

peine d'écrire ce livre pour essayer de mettre un terme, du moins en ce qui concerne l'insoumission noire, à ce genre de manipulations. Je me demande aussi si le silence amusé et condescendant dont on gratifie habituellement le courant noir ne tient pas aux mêmes raisons : si le roman noir est bien cette machine à faire le vide idéologique comme je le pense, ne faut-il pas qu'elle fonctionne bien mal pour produire l'idéologie négative caractéristique de la descendance romanesque qu'on s'ingénie à lui attribuer ? Ou au contraire, pour être repéré comme l'origine formelle de la littérature satanique et de sa rhétorique morbide, le roman noir ne serait rien qu'un décor de carton-pâte, creuset malsain de toutes les aberrations possibles. Et c'est assez pour frapper de dérision tout ce que recouvre la couleur noire. Enfin, l'amalgame courant fait entre le noir et « l'approximation romantique », dont se réclame par exemple Mario Praz [85], achève de jeter l'interdit sur l'essentiel : je veux dire sur l'apparition quasiment simultanée de la dimension mécanique dans l'univers de Sade et dans les livres noirs, qui inaugure en même temps qu'une crise définitive de la représentation la plus profonde insoumission de l'esprit que l'Occident ait connue.

Et une fois encore Sade, dont au bout du compte j'ignore presque tout sinon la grandeur poétique, fait figure de prodigieux découvreur : acculé par sa propre étrangeté au monde à tenter de penser l'impensé, le voilà saisi par une violence rationnelle qui dans sa réitération compulsive excède la notion même de raison. Réitération de plus en plus mécanique de cette violence rationnelle qui se fait peu à peu violence lyrique de la mécanique. Ainsi, la raison se faisant imagination et l'imagination se faisant raison ardente au cours de ce retournement de la pensée sur elle-même, c'est l'être tout entier qui est engagé dans cet ébranlement le long duquel sensibilité et réflexion se rejoignent pour décrire la ligne de plus haute tension. Et je ne sais pas de plus bouleversante illustration à la fameuse phrase de Lautréamont : « La poésie doit être faite par tous. Non par un », exigeant une poésie qui mettrait en jeu toutes les composantes humaines et non pas l'une au détriment des autres, comme l'ont magistralement démontré Georges Goldfayn et Gérard Legrand dans leur édition commentée des *Poésies* de Lautréamont : « ...mieux vaut rapprocher l'original de son contexte : *tous* désigne l'ensemble des *phénomènes de l'âme* et des *impressions sensorielles* ». Sans doute aura-t-il fallu attendre Sade et sa folie raisonneuse pour voir au fond de quelle violence la poésie répond dans son principe à l'exigence absolue de la pensée. Car à assembler dans une suite sans fin discours et tableaux érotiques qui s'annulent les uns les autres, Sade fait surgir un mécanisme dénégateur se développant en révolution complète de la pensée sur elle-même, vertige au cours duquel la succession des apparitions anéantit la prison des apparences, vertige qui n'est rien d'autre que la poésie.

« Donc, sinon chez tous les artisans de la modernité du moins chez le petit nombre que le mal de notre siècle me semble posséder exemplairement, diabolisme indéniable, si s'attacher délibérément à la peau des choses (leur peau de ce matin même, sans fripure d'hier ni apprêt pour plus tard) et bâtir sur elles des châteaux que l'on sait évanescents, c'est se détourner de l'Absolu – alias Dieu – et, péchant sans vergogne contre l'esprit de sérieux, se mettre vis-à-vis de lui en position d'ange rebelle.

« Trouver un ciel au niveau du sol... », dit splendidement aujourd'hui Michel Leiris à la fin du *Ruban autour du cou d'Olympia*. Tout y est encore, le château, le désespoir, la révolte. Très près de nous dans les ruines du temps, la machinerie noire continue de fonctionner comme dispositif de l'incroyance pour interroger l'absolu et ses masques. Seulement sa violence lyrique demeure une énigme, une telle énigme (Leiris lui-même parle de diabolisme, faute de mieux dire, peut-être) qu'il faut remonter à son apparition historique pour comprendre qu'elle agisse encore. Qu'est-ce qui était donc en jeu dans cette transformation mécanique de la violence rationnelle en violence lyrique? Que s'est-il donc passé avec l'irruption de la mécanique noire au milieu du paysage sensible de la fin du XVIIIᵉ siècle?

On le sait, jusqu'aux dernières années du siècle, l'imitation tient lieu de loi esthétique intangible. Qu'on se rappelle seulement *Les Beaux Arts réduits à un même principe* de l'abbé Charles Batteux qui en 1747 exprime déjà le dogmatisme de l'esthétique classique dont il faudra longtemps pour se défaire : « L'esprit humain ne peut créer qu'improprement : toutes ses productions portent l'empreinte d'un modèle... Inventer dans les arts, ce n'est point donner de l'être à un objet, c'est le reconnaître où il est et comme il est... » Toutes les perspectives sont bloquées. La réalité – ou ce qu'on croit l'être – est là comme une prison et la loi de l'imitation empêche toute tentative d'en sortir. C'est au milieu de cet enfermement que la mécanique noire commence à fonctionner avec *Le Château d'Otrante* comme un continuel déni de réalité. Et au fur et à mesure qu'elle se développe, révélant les êtres comme ils ne sont pas et les entraînant là où ils ne sauraient être, un gouffre se creuse entre la réalité et son imitation et n'en finit pas de se creuser, puisque c'est l'espoir de toute réconciliation de l'homme et du monde qui disparaît au fond de l'horizon noir.

« Les bras de l'homme se tendent vers l'Infini; tous nos désirs ne sont que parties d'un grand vœu illimité », écrit Jean Paul Richter en 1795 dans un essai *Sur la magie naturelle de l'Imagination*. À l'opposé de cet élan analogique qui emporte la pensée romantique vers son excès, l'univers noir se développe en mouvements concentriques comme une infinie métaphore de l'étrangeté, cernant au cœur de toute réalité le néant qui la hante. Et telle est la marque inexorable de la mécanique noire jouant et rejouant sans cesse à travers une crise de la représentation cette tragédie de la coïncidence dans le sens d'un retour implacable vers le néant. Coïncidence du désespoir avec lui-même qui met le monde à distance et rend sa représentation de plus en plus problématique en établissant ce paradoxe bouleversant : l'irruption de la machinerie noire dans l'imaginaire européen, qui va contribuer à précipiter la fin de l'esthétique de l'imitation, se produit justement au moment même où la théorie de l'imitation trouve son ultime aboutissement à travers la fabrication des automates.

Liée aux progrès de l'incroyance, l'apparition des charmants petits personnages de Vaucanson ou des androïdes de Jaquet-Droz tient à l'optimisme du premier moment. Même si ceux-ci laissent deviner sous la perfection répétitive de leurs mimiques le néant de l'engrenage qui les anime, l'imitation est assez fidèle pour que l'horloger humain s'enorgueillisse de pouvoir rivaliser – du moins en ce qui concerne « la raison des forces mobiles », comme disait l'ingénieur Salomon de Caus au début du XVIIe siècle – avec le grand horloger divin, dont le crédit jusqu'alors illimité ne cesse de se restreindre. De cette assurance première part l'élan de reconstruction, de redécouverte, de régénérescence qui met simultanément en marche la réflexion scientifique, politique, philosophique au XVIIIe siècle. Et rien n'empêche alors de tenter de faire la machine semblable à l'humain d'autant que dans la hâte de l'optimisme, la recherche de l'origine se confond avec le désir de commencer. Il suffit d'être fidèle au modèle. Néanmoins, en ce qu'il imite, l'automate interroge peut-être l'ordre des choses mais sans susciter véritablement sa mise en cause, tout comme en ce qu'elle se réclame du modèle romain, la représentation révolutionnaire déplace la scène de l'action humaine, sans pour autant dépouiller les acteurs de leurs masques, sans pour autant sonder jusqu'au fond une image de l'homme assurée par dix-huit siècles de christianisme.

À l'inverse, rompant la chaîne de l'imitation depuis le moment où elle a commencé à fonctionner, la machinerie noire interroge ce qui dans l'homme fait l'humain semblable à la machine : « ...que quelque chose puisse se répéter, c'est là un pouvoir qui semble supposer, dans l'être, un manque, et qu'il lui manque la richesse qui ne lui permettrait pas de se répéter. L'être se répète, voilà ce que signifie l'existence des machines; mais si l'être était surabondance inépuisable, il n'y aurait ni répétition, ni perfection machinales. La technique est donc la pénurie de l'être devenue pouvoir de l'homme, signe décisif de la culture occidentale », dit très justement Maurice Blanchot [86].

On ne saurait mieux définir la raison sombre de ces machines à faire le vide. Machines qu'on appellera plus tard « célibataires », de ne rien produire. Et je m'opposerais là à Michel Carrouges qui classe parmi celles-ci *L'Ève future* de Villiers de l'Isle-Adam, mécanique sombrant dans une tempête métaphysique. Car ces machines ne sont « célibataires » que de tout ramener à leur être, c'est-à-dire de faire l'humain semblable à la machine et non l'inverse comme c'est le cas de la merveilleuse poupée de Villiers de l'Isle-Adam. Puisque c'est la notion même de métaphysique qui est prise dans l'engrenage de ces constructions mentales, détruisant non seulement le principe d'imitation mais détruisant aussi avec le modèle humain ce qui pourrait être leur modèle mécanique. Comme si du château noir au Grand Verre de Duchamp, nous nous trouvons devant des machines qui travaillent à devenir plus symboliques que mécaniques. Et voudrait-on des preuves, qu'on pourrait aisément mettre en évi-

265

dence de troublantes correspondances entre la machinerie noire et le Grand Verre comme l'a fait Michel Carrouges pour *La Colonie pénitentiaire, Locus Solus...* La jeune héroïne pure du roman noir ne pourrait-elle pas correspondre au « pendu femelle » de Duchamp, l'une et l'autre dictant leur loi inconsciente aux « célibataires » dont les « uniformes et les livrées » se retrouveraient à travers les successives défroques phalliques qui surgissent de la nuit du roman noir ? Et ainsi de suite. Mais le plus agitant est assurément dans ce qui oppose ici le parti pris de l'obscurité et là celui de la transparence. Puisque selon Octavio Paz « la transparence de l'horizon, la nudité de l'espace [87] » chez Duchamp donnent sur le rien, tout comme l'obscurité du roman noir conduit à la contemplation du néant. Et le parallélisme pourrait se poursuivre assez loin quand on se rend compte que dans un cas comme dans l'autre on ne retrouve la vue, la vision ou la voyance, qu'à la faveur d'une illumination « exposition ultrarapide » chez Duchamp, déchirement lumineux artificiel ou naturel dans le roman noir. Peut-être faudrait-il envisager un jour de telles coïncidences à l'intérieur d'une histoire de la pensée subversive.

Mais déjà je crois qu'il importe de faire reculer jusqu'aux prémisses de l'ère industrielle l'origine de ces machines qu'on dit « célibataires ». C'est à l'intérieur du roman noir qu'elles ont pris forme au moment le plus frénétique d'une indomptable révolte de l'esprit contre lui-même. Quand bien même l'incroyable fortune intellectuelle du mythe des « machines célibataires » au cours des dernières années semblerait vérifier au contraire que, chemin faisant, la violence lyrique qui les a mises en branle, a été perdue au profit d'une exaltation de l'indifférence machinale. Comme si on avait tout oublié de la révolte pour ne retenir que le fonctionnement masturbatoire de la machine, réplique du fonctionnement sans sens de la société technicienne – ce qui d'ailleurs ne serait pas non plus tellement éloigné de l'actuelle relecture textuelle du romantisme allemand comme « manifestation de la littérature à elle-même [88] ». Comme si on avait aussi et surtout ignoré le nouveau rapport à l'objet inauguré à l'ombre des forteresses du roman noir. Comment ne pas s'apercevoir en effet qu'en fonctionnant la machine noire ne s'attaque pas seulement à la personne humaine mais aussi à l'objet, évitant du même coup l'affrontement dramatique entre sujet et objet qui va maintenir tout le xixᵉ siècle sur la scène de la grandiloquence, à quelques exceptions près?

À l'exception de ceux qui, comprenant l'efficacité de la machinerie noire, découvrent l'humour objectif dans l'incroyable distance où ces châteaux réussissent à nous tenir avec nous-mêmes. Tout le sentimentalisme du xviiiᵉ siècle n'est-il pas nié par la mécanique, tandis que la mécanique est emportée par un élan lyrique que la mécanique fait revenir sur lui-même? Implacable mise en perspective intérieure qui aboutit à retourner la relation entre l'objet et le sujet et à laquelle nous devrons les aperçus les plus audacieux du xxᵉ siècle de Jarry à Duchamp. Et ce n'est pas le moindre mérite des livres noirs, dans lesquels la machine fonctionne en quelque sorte comme baromètre de l'incroyance, que de ramener systématiquement toute embardée idéologique au bord du néant.

Il suffit d'ailleurs que la machine noire se perfectionne pour que disparaisse le fantôme des premiers romans noirs — dernier champion de Dieu égaré dans ces ténèbres grandissantes. Car à y bien regarder, le fantôme est fait de la même nuit que le scélérat : comme lui, il en surgit en figure phallique spectaculaire, mais pour rappeler de la manière la plus menaçante les structures fondamentales de l'ancien monde. Et alors que l'enveloppe phallique des tourmenteurs se creuse de plus en plus pour abriter et masquer l'horrifique béance maternelle d'une nature inconnue, celle du fantôme sert de support à une image paternelle vengeresse qui dissimule la même béance. Mais dès que la machine noire commence à fonctionner plus rigoureusement, tout change : les fantômes pâlissent à mesure que se dessinent de plus en plus agressivement des êtres dont l'existence nie l'idée de Dieu et de toute transcendance. Ils vont même pratiquement disparaître au moment de la Révolution, c'est-à-dire au moment où l'homme s'affirme contre Dieu, contre le destin. Les souverains de ces sombres demeures prennent alors des allures manifestement libertines qui excluent la possibilité qu'ils se laissent un seul instant impressionner par l'idée de quelque spectre. Je pense ici au très étrange baron d'Olnitz, libertin et chimiste, qui poursuit la belle Pauliska afin de la convaincre de « pénétrer avec lui dans le sanctuaire de la nature » et de l'initier aux délices de la « perversité moderne ». *Pauliska ou la perversité moderne,* très curieux livre paru en 1798 du non moins curieux Reveroni Saint-Cyr, est en effet un exemple frappant du fait que la sophistication de la machinerie noire va de pair avec la radicalisation des propos tenus. La mécanique, jouant même des ressources de la chimie, y apparaît comme un prolongement direct d'une conception matérialiste de l'homme et de l'univers : pour redonner la jeunesse n'y insuffle-t-on pas à travers de « grands soufflets d'ébène » l'air exhalé par de très jeunes enfants, comme pour acquérir une nouvelle vigueur ne récupère-t-on pas l'électricité produite par frottement sur le corps de jolies femmes attachées par les cheveux à de grandes roues de verre? « On nous attache chacune à un poteau de la grande roue, on lie nos cheveux ensemble par-dessus nos têtes, penchées en arrière; on pose nos reins en contact, et séparés par la seule épaisseur de la roue de verre... Le frottement brûle bientôt nos chairs, les étincelles scintillent... » C'est là le commencement d'une génération de machines qui servent autant à produire des énergies nouvelles qu'à détruire les « préjugés ». À commencer par l'amour dont on apprend « entre autres sentences et systèmes abominables », comme le dit Pauliska, que « l'amour est une rage, il peut s'inoculer... par la morsure ».

En Angleterre, en Allemagne, où l'incroyance n'a jamais eu cette audace, le fantôme ne disparaîtra jamais vraiment de l'univers noir. Il est d'ailleurs significatif que des cohortes de fantômes reviendront hanter le roman noir à l'époque de l'Empire, au moment où les espoirs révolutionnaires s'éloignent très loin, au moment où on a perdu le courage de considérer le désespoir à la lumière nue de l'incroyance. C'est peut-être dans ces moments de dépression générale que la mécanique et le lyrique tendent à se dissocier pour le plus grand dommage de l'esprit soudain contraint d'affronter en ordre dispersé la force des choses. Il s'ensuit un accablement lucide auquel la mécanique prête ses subtilités et ses cruautés pour mettre en place une insupportable indécision entre révolte et constatation, et dont *Le Château* de Kafka me semble le plus fort exemple. Une grande partie de la tradition mécaniste de l'art moderne ne nous conduit-elle pas d'ailleurs, en roue libre, vers cette impasse du non-sens?

Et c'est peut-être pourquoi j'aurais prêté tant d'attention au château du roman noir, aussi fermé sur sa rigueur négative qu'ouvert sur la frénésie de l'à venir. De toute évidence, la machine y fonctionne pour défaire inlassablement les masques du temps, pour dévoiler l'inactuel qui nous guette. Mais quand, ce faisant, la machine s'emballe pour se confondre, emportée par son propre excès, avec la forme convulsive de la ruine, c'est alors l'éventuel qui revient en rafales comme l'espoir insensé au fond du désespoir, c'est le merveilleux qui revient en éclair lacérer, ne fût-ce qu'un instant, les plaines mouvantes du non-sens. Porte battante sur le rien, perspective cavalière sur le vide, c'est là que la mécanique et le lyrique se conjuguent pour définitivement inachever notre quête en ombre interrogative décrivant le monde, ou en transparence problématique donnant sur le monde, regard inlassablement aux aguets du regardeur dont le reflet habite le Grand Verre de Duchamp. Nous y voilà, c'est toujours à la lisière du néant, au bord de la transparence ou sur la crête des ténèbres que la poésie se confond avec la connaissance.

Et il aura fallu attendre 1820 pour que les constructions noires, abritant l'infini d'un désespoir qui ne tient qu'à la condition humaine, surgissent au point précis où l'horizon sombre dans la transparence de l'énigme. Retrouvant et expérimentant partout le pouvoir négateur de son être, Melmoth a l'audace de le découvrir jusque « dans les conditions fondamentales de la vie », comme le dit Baudelaire. Alors Melmoth le voyageur va parcourir l'espace et le temps pour aller au-devant de lui-même. L'enjeu du voyage est tel qu'aucun lieu, qu'aucun personnage, qu'aucune époque ne peut arrêter Melmoth dans sa course. Doté du pouvoir surhumain que lui donne l'insupportable conscience de son néant, Melmoth avance solitaire, portant le poids de sa souveraineté comme une arme absolue. Il ne lui importe plus, comme aux scélérats du roman noir, de se rendre maître à travers la possession d'une ou plusieurs personnes, des lieux qu'il traverse. Unique, il ne se mesure qu'à l'univers.

Jamais espace poétique n'avait été conçu plus orgueilleusement : immense boule de ténèbres, capable de rivaliser avec les astres et de participer de leurs révolutions, englobant tous les points de fuite de la pensée humaine, ce serait le seul miroir où celle-ci consentirait enfin à se reconnaître.

De souterrain en souterrain, nous voilà donc arrivés là où les siècles roulent avec les orages. Partis d'un château en ruine, nous voilà donc arrivés à contempler le monde sous l'ombre unique et immense de Melmoth. Mais comme tous les autres voyageurs du roman noir, je n'ai fait que chercher *un point de vue*.

Chaillou

l'Amour est une rage; il peut s'inoculer par
la morsure.

Pauliska ou la perversité moderne... *est un exemple frap-*
pant du fait que la sophistication de la machinerie noire
va de pair avec la radicalisation des propos tenus.

Frontispice pour *Pauliska ou la perversité moderne* de Reveroni Saint-Cyr, Paris, an VI, chez Lemierre.

Point de vue d'où l'on puisse considérer tout le paysage, au-dedans et au-dehors de nous-mêmes. Point de vue de la poésie qui n'en finit pas de se confondre avec le point de fuite où nos rares raisons de vivre semblent rejoindre l'horizon. Point de vue qui se dérobe à la vue. Point d'enracinement d'un château en ruine en perpétuelle construction : c'est un monument improbable entre l'espace qu'il occupe et l'espace qui l'entoure. C'est un espace inobjectif, glissant entre les pierres du temps, forme ouverte sur le vide, quand les questions fondamentales sur la vie, la mort, l'amour, se posent si intensément que les modes d'emploi historiquement en cours ne peuvent y répondre.

Et ils ne peuvent jamais y répondre. Telle est peut-être l'origine du noir, comme si au plus profond de la nuit mentale, on savait, depuis toujours, que le problème de la fin et des moyens est autant un problème moral que poétique. C'est bien cela, un « observatoire du ciel intérieur ». « Il restait peut-être à éclairer de cette lumière nouvelle certains problèmes humains mal définis, mais durablement passionnants », prévient Julien Gracq avant que le lecteur aborde le *Château d'Argol,* cristal de ténèbres, savamment reconstruit pour retrouver, ici et maintenant, cette « efficacité de foudre de certaines apparitions ».

J'aurais voulu ne parler de rien d'autre. Il y a longtemps que les châteaux n'ont plus d'âge, que quelque chose n'en finit pas de sombrer sous le fleuve de verre de la vie, que l'amour emprunte les gestes las de la cruauté et que nous avons le regard vide et souverain de nos doubles solitaires.

Je terminerais par une image presque d'Épinal : William Beckford, « l'enfant le plus fortuné d'Angleterre », « l'infernal bien-aimé » des hommes et des femmes qui eurent le malheur de le rencontrer, quittant le Paris révolutionnaire, après y avoir dilapidé une grande partie de sa fortune en rachat d'objets d'art abandonnés par la noblesse en fuite, part « accompagné des regrets des sans-culottes et de l'estime des autorités constituées de Paris », à en croire le « rapport de Junius Dupeyrou, rédigé en Brumaire An II pour la section de Brutus [89] ».

Quelques mois plus tard, il se faisait construire le château gothique le plus fou qu'on ait rêvé pour s'y emmurer à trente-six ans.

L'inconscience de classe fait parfois bien les choses.

L'inconscience de classe fait parfois bien les choses.

Ruines de Fonthill Abbey, le château de William Beckford, construit par Wyatt.

NOTES

1. André Breton, *Les Vases communicants,* éd. Gallimard, Paris, 1955, p. 134.

2. Charles Baudelaire, De l'Essence du Rire, *Curiosités esthétiques.*

3. André Breton, Limites non-frontières du surréalisme, *La Clé des champs,* éd. J.-J. Pauvert, Paris, 1953, p. 22.

4. Benjamin Péret. Actualité du roman noir, *Arts* n° 361, 29 mai/ 4 juin 1952.

5. André Breton, Limites non-frontières du surréalisme, *La Clé des champs, op. cit.,* p. 23.

6. Roland Barthes, *Sade, Fourier, Loyola,* éd. du Seuil, Paris, 1980, p. 35.

7. Roland Barthes, *ibid.,* p. 35.

8. Vladimir Boukovsky, *... Et le vent reprend ses tours,* éd. Robert Laffont, Paris, 1978, p. 25-27.

9. Alice M. Killen, *Le roman terrifiant ou roman noir de Walpole à Anne Radcliffe et son influence sur la littérature française jusqu'en 1840,* Paris, 1920; éd. Honoré Champion, Paris, 1967, p. 9.

10. Alice M. Killen, *ibid.,* p. 9.

11. Pour tous les extraits des lettres de Horace Walpole, j'ai utilisé la traduction de Maurice Lévy, *Le roman « gothique » anglais 1764-1824,* Association des publications de la faculté des Lettres et Sciences humaines de Toulouse, Toulouse, 1968.

12. René-Louis de Girardin, *De la composition des paysages ou des moyens d'embellir la nature autour des habitations, en joignant l'agréable à l'utile,* Genève, 1777, p. ix, x, xj.

13. René-Louis de Girardin, *ibid.,* p. 1 et 2.

14. Michel H. Conan, postface à la réédition de René-Louis de Girardin, *De la composition des paysages,* éd. du Champ Urbain, Paris, 1979, p. 208.

15. En dehors des romans auxquels nous faisons allusion, citons encore : *L'Infortuné Napolitain ou les Aventures et mémoires du signor*

277

Roselly, de l'abbé J. Olivier, 1704 ; *L'Horoscope accomplie* (sic) du Chevalier de Mailly, 1713, *La Comtesse de Vergi* de La Vieuville d'Orville, 1722 ; *Adèle de Ponthieu,* du même auteur, 1723.

16. Antoine de La Barre de Beaumarchais, *Les Aventures de Don Antonio de Buffalis,* 1722.

17. Marie-Jeanne l'Héritier de Villandon, *La Tour ténébreuse et les jours lumineux,* 1705.

18. A. Cavard, *Les Mémoires du Comte Vordac, général des Armées de l'Empereur,* 1702.

19. Delandine, *Observations sur les Romans,* 1786.

20. Jean-Jacques Rousseau, *La Nouvelle Héloïse,* Lettre XXVI.

21. Abbé Prévost, *Mémoires d'un homme de qualité,* 1728-1731.

22. Maurice Lévy, *op. cit.,* p. 44.

23. *A Series of Letters between Mrs. Elizabeth Carter and Miss Catherine Talbot...,* cité par Maurice Lévy, *op. cit.,* p. 151.

24. Dès le XVIIᵉ siècle, on redécouvre en France le *Traité du sublime* qu'à tort on aurait attribué à Longin, philosophe et rhéteur grec. Cependant, il faut attendre le XVIIIᵉ siècle pour que cette catégorie fasse fortune, principalement en Angleterre. Si Hume s'y réfère en 1739 dans son *Traité de la nature humaine,* dès 1735 Hildebrand Jacob lui consacrait un essai *How the Mind is rais'd to the Sublime,* puis John Baillie en 1747 avec *An Essay on the Sublime.* Dès lors reconnu comme catégorie esthétique, le sublime trouve place dans *An Essay on Taste* d'Alexander Gerard en 1759 ; enfin Kant en fera l'un des pivots de la double esthétique qu'il propose dans la *Critique du jugement,* en 1790.

25. Emmanuel Kant, *Critique du jugement,* 1790.

26. Maurice Lévy, *op. cit.,* p. 84.

27. Maurice Lévy, *op. cit.,* p. 109-110.

28. André Breton, Limites non-frontières du surréalisme, *La Clé des champs, op. cit.,* p. 22.

29. André Breton, *ibid.,* p. 21.

30. Maurice Lévy, *op. cit.,* p. 86.

31. André Glucksmann, *Cynisme et passion,* éd. Grasset, Paris, 1981, p. 176.

32. Michel Le Bris, *Le Paradis perdu,* éd. Grasset, Paris, 1981, p. 57-58.

33. Maurice Blanchot, L'Athenaeum, *L'Entretien infini,* éd. Gallimard, Paris, 1969, p. 520-521.

34. Ph. Lacoue-Labarthe/J.-L. Nancy, *L'Absolu littéraire, théorie de la littérature du romantisme allemand,* éd. du Seuil, Paris, 1978, p. 27.

35. Sophie Lee, *The Recess; or, a Tale of Other Times,* Londres, 1783-1785 ; trad. franç. *Le Souterrain ou Mathilde,* Paris, 1786.

36. 37. 38. Anne Radcliffe, *The Mysteries of Udolpho,* Londres, 1794 ; trad. franç. *Les Mystères d'Udolphe,* Paris, 1794.

39. Anne Radcliffe, *The Italian; or, the Confessional of the Black*

Penitents, Londres, 1797; trad. franç. *L'Italien, ou le Confessionnal des Pénitents noirs*, Paris, 1797.

40. Benedicte Naubert, *Herman d'Unna, ou Aventures arrivées au commencement du xvᵉ siècle dans le temps où le Tribunal secret avait sa plus grande influence*, Leipzig, 1788; trad. franç., Metz, 1791.

41. Anne Radcliffe, *Les Mystères d'Udolphe, op. cit.*

42. Sophie Lee, *Le Souterrain ou Mathilde, op. cit.*

43. Jean Fabre, *Préface à Aline et Valcour*, Sade, Œuvres complètes, Cercle du Livre Précieux, Paris, 1966, t. IV, p. 17.

44. La Mettrie, Discours préliminaires, *Œuvres philosophiques.*

45. Anne Radcliffe, *Les Mystères d'Udolphe, op. cit.*

46. Regina Maria Roche, *The Children of the Abbey*, Londres, 1796; trad. franç. *Les Enfants de l'Abbaye*, Paris, an VI.

47. Agnès Musgrave, *Edmund of the Forest*, Londres, 1797; trad. franç. *Edmond de la forêt*, Paris, an VII.

48. Anne Radcliffe, *Les Mystères d'Udolphe, op. cit.*

49. *Le Château mystérieux, ou l'Héritier orphelin*; trad. de l'anglais, Paris, 1798.

50. Agnès Musgrave, *Edmond de la forêt, op. cit.*

51. Anne Radcliffe, *L'Italien..., op. cit.*

52. Sophie Lee, *Le Souterrain ou Mathilde, op. cit.*

53. Anna Maria Mackenzie, *Dusseldorf; or, the Fratricide*, Londres, 1798; trad. franç. *Dusseldorf; ou le Fratricide*, Paris, an VII.

54. Attribué à Anne Radcliffe, *Rose d'Altenberg, ou le Spectre dans les ruines*, trad. de l'anglais, Paris, 1830.

55. Anna Maria Mackenzie, *Dusseldorf; ou le Fratricide, op. cit.*

56. Maurice Lévy, *op. cit.*, p. 386.

57. Loaisel de Tréogate, *La comtesse d'Alibre, ou le Cri du sentiment, anecdote française*, La Haye; Paris, 1779.

58. Loaisel de Tréogate, *La comtesse d'Alibre, op. cit.*

59. Loaisel de Tréogate, *La comtesse d'Alibre, op. cit.*

60. Baculard d'Arnaud, *Les époux malheureux ou Histoire de M. et Mᵐᵉ de la Bédoyère, écrite par un ami*, Paris, 1745.

61. Anne Radcliffe, *Les Mystères d'Udolphe, op. cit.*

62. Sophie Lee, *Le Souterrain ou Mathilde, op. cit.*

63. François Pagès, *Amour, Haine et Vengeance ou Histoire de deux illustres maisons d'Angleterre*, Paris, an VII.

64. Correspondant anonyme, *The Spirit of the English journals* (1797), cité par Maurice Lévy, *op. cit.*, p. 480.

65. Maurice Lévy, *op. cit.*, p. 442.

66. Pierre Klossovski, *Sade et la Révolution*, Sade, Œuvres complètes, *op. cit.*, t. III, p. 349.

67. Pierre Klossovski, *ibid.*, p. 349.

68. Jean Starobinski, *l'Invention de la liberté*, éd. Skira, Genève, 1964, p. 101.

69. Jean Starobinski, *ibid.*, p. 12.

70. Benedicte Naubert, *Herman d'Unna, op. cit.*

71. Jean-Yves Guiomar, *L'Idéologie nationale, Nation, Représentation, Propriété*, éd. Champ Libre, Paris, 1974, p. 131.

72. Citons parmi les pièces les plus connues du théâtre monacal : *L'Autodafé ou le Tribunal de l'Inquisition*, de Gabiot, Paris, 1790 ; *Les Victimes Cloîtrées* de M. de Monvel, représentée pour la première fois en 1791 ; *Fénelon, ou les Religieuses de Cambrai* de Marie-Joseph Chénier, Paris, 1793 ; *Julie, ou la Religieuse de Nismes* de Charles Pougens, écrite en 1789 mais représentée en 1796.

73. Max Stirner, *L'Unique et sa propriété.*

74. Cité par Ornella Volta, *Le Vampire*, éd. J.-J. Pauvert, Paris, 1962, p. 133.

75. Maurice Blanchot, L'Athenaeum, *L'Entretien infini, op. cit.*, p. 521.

76. Maurice Blanchot, *ibid.*, p. 517.

77. Ce témoignage et les suivants sont extraits de l'ouvrage de Roger Ayrault, *La genèse du romantisme allemand*, éd. Aubier, Paris, 1961, t. I, et plus particulièrement des chapitres « Les futurs romantiques et la Révolution » et « L'évolution politique de Friedrich Schlegel ».

78. Roger Ayrault, *op. cit.*, t. I, p. 110.

79. Loaisel de Tréogate, *La comtesse d'Alibre, op. cit.*

80. Maurice Blanchot, *Sade*, Sade, Œuvres complètes, *op. cit.*, t. VI, p. 13.

81. Maurice Blanchot, *ibid.*, p. 13.

82. Jean-Yves Guiomar, *L'Idéologie nationale, op. cit.*, p. 131.

83. *Le Romantisme noir*, L'Herne, Paris, 1978.

84. Mario Praz, *La Chair, la Mort et le Diable*, trad. franç., éd. Denoël, Paris, 1977.

85. Mario Praz, *ibid.*, p. 25 à 37.

86. Maurice Blanchot, *L'Amitié*, éd. Gallimard, Paris, 1971, p. 54-55.

87. Octavio Paz, *Marcel Duchamp : L'Apparence mise à nu...*, éd. Gallimard, Paris, 1977, p. 171.

88. Ph. Lacoue-Labarthe/J.-L. Nancy, *L'Absolu littéraire, op. cit.*, p. 421.

89. Marc Chadourne, *Eblis ou l'Enfer de William Beckford*, éd. J.-J. Pauvert, Paris, 1967, p. 120.

Le lecteur pourrait s'étonner de ne pas trouver ici une bibliographie du roman noir. Mais, on l'aura vu, comme il s'agit plus d'une atmosphère que d'un genre défini et définissable, comme deux sur trois de ces livres ont été publiés anonymement, comme enfin il est bien souvent difficile de discerner les originaux des traductions ou adaptations plus que libres, j'ai choisi d'éviter la fiction scientifique d'une bibliographie inévitablement incertaine. Faute de pouvoir ajouter quoi que ce soit de décisif aux travaux existants, je préfère renvoyer le lecteur aux ouvrages qui font autorité sur la question mais dont les bibliographies très différentes, pour ne pas dire divergentes, témoignent de la quasi-impossibilité de déterminer les limites du phénomène noir : Alice M. Killen, Le roman terrifiant ou roman noir de Walpole à Anne Radcliffe et son influence sur la littérature française jusqu'en 1840, *Paris, 1920; éd.* Honoré Champion, Paris, 1967. *Montague Summers,* The Gothic Quest, a History of the Gothic Novel, *the Fortune Press, Londres, 1938. Montague Summers,* A Gothic bibliography, *the Fortune Press, Londres, 1941. Maurice Lévy,* Le roman « gothique » anglais 1764-1824, *Association des publications de la faculté des Lettres et Sciences humaines de Toulouse, Toulouse, 1968. Citons enfin la* Bibliographie du roman « gothique » anglais en traduction française (1767-1827), *établie par Maurice Lévy dans* Le Romantisme noir, *L'Herne, Paris, 1978.*

INDEX DES NOMS CITÉS

283

INDEX DES OUVRAGES CITÉS

289

290

TABLE DES ILLUSTRATIONS

TABLE

DU MÊME AUTEUR

Chez d'autres éditeurs :

L'HUMOUR NOIR, 1966, dans ENTRETIENS SUR LE SURRÉALISME, Éditions Mouton, Paris, 1968.

SUR-LE-CHAMP, illustré par Toyen, Éditions Surréalistes, Paris, 1967.

LES MOTS FONT L'AMOUR, *citations surréalistes,* Éditions Éric Losfeld, Paris, 1970.

LES PÂLES ET FIÉVREUX APRÈS-MIDI DES VILLES, Éditions Maintenant, Paris, 1972.

LA TRAVERSÉE DES ALPES, avec Fabio De Sanctis et Radovan Ivsic, Éditions Maintenant, Rome, 1972.

TOUT PRÈS, LES NOMADES, illustré par Toyen, Éditions Maintenant, Paris, 1972.

LES ÉCUREUILS DE L'ORAGE, Éditions Maintenant, Paris, 1974.

ANNULAIRE DE LUNE, illustré par Toyen, Éditions Maintenant, Paris, 1977.

LÂCHEZ TOUT, Éditions Le Sagittaire, Paris, 1977.

LE SENTIMENT DE LA NATURE À LA FIN DU XXᵉ SIÈCLE, photographies de Petar Dabac, Éditions Atelier T.D., Zagreb, 1982.

À DISTANCE, Jean-Jacques Pauvert aux Éditions Carrère, Paris, 1985.

À paraître :

OUVERTURE ÉCLAIR, photographies de Josseline Rivière.
SOUDAIN UN BLOC D'ABÎME, SADE.

Composé et achevé d'imprimer
par l'Imprimerie Floch
à Mayenne, le 15 janvier 1986.
Dépôt légal : janvier 1986.
Numéro d'imprimeur : 23654.
ISBN 2-07-032341-2 / Imprimé en France

37085